プルーストから村上春樹へ

「時間」で読み解く世界文学

岡本正明

幻冬舎ルネッサンス新書
197

まえがき

中村真一郎は、「現代小説と時間」というエッセイのなかで、次のように記している。

現代の作家にとって事実も重要なら、その事実を人間的な現実とする、その事実に生命を与える僕たちの心の反応も重要である。そこで、事実の連鎖の行われる場としての時間でない、僕たちの心の持続そのものである内的な時間が、新しく小説の中に登場してきた。印象派の画家が光線を発見したというような意味で、二十世紀小説は時間を発見したのである。それゆえ現代の小説に共通する、二つの新しい技法である「対位法」、と「内的独白」が、いずれも時間に対する新しい感覚を表現する手段であるのは注目すべきことである。

「時間の発見」、あるいは「時間に対する新しい感覚」。現代の作家は、「時間」をテーマ的にも、物語構造の上でも強く意識し、「時間に対する新しい感覚を表現する手段」として、実にさまざまな手法を取り入れてきた。

なかでも、とりわけ「時間の発見」という観点から見て重要な作家は、プルーストとジョイスである。プルーストの小説は、「全く想起の秩序に従って発展し、歴史的時間の展開よりは、無意志的想起の展開に近い」（中村真一郎「現代文学の特質」）。そして、プルーストは、無意志的想起（記憶）という現象に捉えられた人間は「二つの相異る時間（想起される過去の一時間と想起する現在と）に全身的に同時的に生きるが故に、時間性という人間的条件を超越し、死をも克服し、永生を経験している」（「現代文学の特質」）という信念に立って、『失われた時を求めて』（一九一三―二七）を書きあげた。

一方のジョイスは、『ユリシーズ』（一九二二）において、瞬間ごとに継起する人物たちの時間感覚、時間意識の膨大な蓄積を―「事実の連鎖の行われる場としての時間でない」、内的な時間を―ダブリンの一日の時間的枠組みのなかに圧縮し、その時間意識の生きた様相を、文体そのものによって表そうとした。

プルーストとジョイスによる革命的な実験、すなわち「時間の発見」は、その後の現代作家によって引き継がれ、発展させられてゆく。彼らは、歴史的、計量的な時間に反逆し、自由自在に時間を創造してゆく。

トーマス・マンの『魔の山』（一九二四）は、登場人物の時間意識の変容に合わせて、物語の時間が伸縮するという斬新な手法で書かれている。そこでは、時間は絶対的なものではなく、相対的なものだという時間感覚が示される。こうした時間の相対性については、ヴァージニア・ウルフの『燈台へ』（一九二七）の章構成にも示されており、また、ジュリアン・グリーン（一九〇〇―九八。フランスの小説家。代表作に、『幻を追う人』、『モイラ』などがある）の『ヴァルーナ』（一九四〇）における物語的時間のテンポの変化にも示される。あるいは、「文化的時間」の相対性という観念にもとづく、カルペンティエル（一九〇四―八〇。キューバの小説家。魔術的リアリズムの創始者の一人）の『失われた足跡』（一九五三）においても顕著である。また、SF的設定の、ヴァージニア・ウルフの『オーランドー』（一九二八）の物語的時間（の伸縮）にも見出される。

ジョイス的な時間の圧縮とプルースト的な時間の持続性は、ヴァージニア・ウルフの『ダロウェイ夫人』（一九二五）において融合している。この作品においては、十二時間の枠組みのなかに、複数の人物の多様な内的時間の持続性の様相が圧縮されていると言えよう。こうした「時間感覚」は、フォークナーの『響きと怒り』（一九二九）の第二章（クェンティンの〈内的〉独白の章）において、極限的に示される。さらには、マルカム・ラウリー（一九〇九―五七。イギリスの小説家）の『火山の下』（一九四七）、クロード・シモン（一九一三―二〇〇五。フランスの小説家。ヌーヴォー・ロマンの代表的存在）の『フランドルへの道』（一九六〇）においても、ジョイスやプルースト、そしてフォークナーの影響は明らかである。

「時間の発見」のドラマは、さらにさまざまな様相を帯びている。ジョイス的な瞬間の継起の文学的表現、「エピファニー」＝永遠の瞬間という「時間の発見」は、ヘミングウェイの作品、D・H・ロレンスの作品の中心的テーマとなっており、また、サルトルの『嘔吐』（一九三八）においては、「完璧な瞬間」という名称のもと、変奏されている。プルースト的な時の重層性・円環性による「永続性」の探求は、トマス・ウルフ（一九〇〇―三八。アメリカの小説家。長大な自伝的小説で知られる）の『時と河について』（一九三五）において、「再生と反復」という観念を通して行われており、T・S・エリオットの『四つの四重奏』（一九四三）においては、「歴史感覚」という観念を通して行われている。

あるいは、「時間の有限性」のドラマ（「死へとかかわる現存在」のドラマ）も、現代文学においては顕著である。ヘミングウェイの『誰がために鐘は鳴る』（一九四〇）、マルロー（一九〇一―七六。フランスの小説家、政治家。美術評論家としても有名）の『王道』（一九三〇）、『人間の条件』（一九三三）、ボーヴォワール（一九〇八―八六。フランスの哲学者、小説家。代表作に『第二の性』がある）の『人はすべて死す』（一九四七）、カーソン・マッカラーズ（一九一七―六七。アメリカの小説家）の『針のない時計』（一九六一）は、「死」という「時間の有限性」のテーマに取り組んだ作品である。とりわけ、リルケは、このテーマに生涯取り組んだ詩人であり、『ドゥイノの悲歌』（一九二三）は、「死へとかかわる存在」である人間の実存、時間を「カイロス」たらしめ意義深いものとしてゆく「時熟」のテーマを追求した作品である。

時間の断片化と「再・統合」という手法も、現代作家、とくにポストモダニズムの作家において顕著である。その先鞭をつけたのが、ハクスリー（一八九四—一九六三。イギリスの小説家、批評家。百科全書的な知性として知られる）の『ガザに盲いて』（一九三六）である。この小説は、断片的な物語が、シャッフルされたトランプのように、あるいは、プラモデル（もしくはキット）のように読者に提供され、読者の側で複数の物語を組み立てることが可能な、いわば「開かれた作品」（ウンベルト・エーコ）である。こうした手法は、本書で後述するが、ナボコフ（一八九九—一九七七。ロシア生まれのアメリカの小説家。英語とロシア語の両方で作品を書いた）、サングィネーティ（一九三〇—二〇一〇。イタリアの詩人、小説家。前衛的な作風で知られる）、ジョセフ・ヘラー（一九二三—一九九九。アメリカの小説家）、ピンチョン（一九三七—。アメリカの小説家。『重力の虹』は現代文学の最高峰の一つとされる）、ロブ＝グリエ（一九二二—二〇〇八。フランスの小説家。ヌーヴォー・ロマンを代表する）、コルタサル（一九一四—一八四。アルゼンチンの小説家）などの作家において見出される。

ここまで、欧米の作家を中心に、「時間の発見」のドラマを概観してきたが、わが国においてはどうであろうか。

日本において、「時間の発見」のドラマが本格的に展開し始めるのは、伊藤整と堀辰雄においてである。両者はそれぞれ、ジョイスとプルーストを研究（または翻訳）しており、この二人の作家に絶大な影響を受けている。伊藤整の「幽鬼の街」（初出は一九三七。『街と村』（一九三九）の第一部）は、小樽を舞台とし、自由連想によって現在の瞬間と過去の瞬間が重なり合い、共鳴する小説であり、『ユリシーズ』の一挿話をおもわせる。堀辰雄の『美しい村』（一九三三）が、無意志的記憶によって現在と過去を重ね合わせるプルースト的な物語であることは、すでに多くの評者の指摘する所である。

「時間の発見」のドラマは、堀辰雄の二人の後継者によって推進される。二人の後継者とは、中村真一郎と福永武彦である。中村真一郎は、第二次世界大戦後早くも『死の影の下に』（一九四七）（五部作〈死の影の下に〉の第一巻）で、日本における『失われた時を求めて』を書こうと試みた。さらには、四部作『四季』（一九七五―八四。『春』、『夏』、『秋』、『冬』）という、「時間文学」の金字塔を打ち立てた。一方の福永武彦は、プルースト、ジョイス、フォークナーら「時間の発見」のドラマの先行者の創出した手法を、ほとんどすべて取り入れることで、『風土』（一九五二。完全版は、一九五七）、『忘却の河』（一九六四）、『海市』（一九六八）など、「時間文学」の傑作を次々に生み出した。そして、その集大成として、『死の島』（一九七一年）という、『四季』と双璧をなす「時間文学」の金字塔を打ち立てた。

その後の「時間の発見」のドラマの担い手としては、大江健三郎、中上健次、三枝和子、辻邦生などがあげられよう。大江健三郎は、『同時代ゲーム』（一九七九）で、メキシコの高地の小さな町（マリナルコ）と、語り手の故郷である「村」の空間を重ね合わせつつ、「村」＝「国家」＝「小宇宙」の歴史・神話を、ラテンアメリカの作家に顕著な魔術的リアリズムの手法で重層的に書きあげた作品であり、同じく、中上健次の『千年の愉楽』（一九八二）は、「熊野」の自然的・人間的・歴史的・神話的時間を、オリュウノオバという語り手を通して、複層的・多元的に、魔法のように紡ぎ出した、日本文学史上屈指の傑作である。また、大江、中上と同じく、フォークナーの強い影響を受けた三枝和子は、『八月の修羅』（一九七二）において、複数の人物の「意識の流れ」を組み合わせ、『響きと怒り』の多面鏡的世界に類した文学世界を創出した。そして、辻邦生は、『夏の砦』（一九六六）、あるいはいくつかの短編小説（たとえば「円形劇場から」（一九七〇））において、プルースト的な想起を物語の時間の方法論的支柱としており、また、プルースト的な永遠性の探究を行っている。

以上、現代文学を、「時間の発見」という観点から概観してきた。

本書は、こうした「時間の発見」のドラマの、詳細な内容・展開について、二十世紀の文学作品を対象にして、具体的・分析的・体系的に論じようとするものである。全体の構成は、大きく分けて、二つの部分からなっている。前半は、第一部、「二十世紀文学と時間」、後半は、第二部、「続・二十世紀文学と時間」と題している。それぞれの部分の具体的な章構成については、以下の論で、詳細に記すつもりである。

プルーストから村上春樹へ

「時間」で読み解く世界文学

目次

第一部　二十世紀文学と時間

はじめに

これまで、数多くの時間論的文学論（「文学と時間」についての論考）が書かれてきたが、それらは、考察の仕方という点で、だいたい三つのカテゴリーに分けることができる。三つのカテゴリーとは、第一に、美学的考察（作品の時間構造、時間の美学的機能などの考察）と同時に心理学的・哲学的考察（作者の時間概念、作中人物の心理と時間の関係、作品において展開される時間の主題などの考察）を行うもの、第二に、主として美学的考察を行うもの、第三に、主として心理学的・哲学的考察を行うもの、である。

第一のカテゴリーに属する時間論的文学論としては、ルカーチの『小説の理論』（一九二〇）――特にその第二章、第二節「幻滅のロマン主義」――とフランク・カーモードの『終末の感覚』（一九六七）があげられる。前者は、時間が、断片的な部分から成る作品中のリアリティーを、秩序と全体性へ向けて有機的に統合する美学的機能を有していることを明らかにすると同時に、小説が内にはらむ主題として、時間との闘争、時間の克服をあげている。後者は、近代ヨーロッパ文学を終末論的ヴィジョンの史的発展と関係づけようとした巨視的な時間論的文学論であり、「終末の感覚」が、作中人物の時間意識、彼らと時間とのあいだに演じられる内的ドラマ、また、作品の統合原理としてのプロットと密接な関係を有していることを明らかにし、同時に、「終末の感覚」の弱体化がプロットの消滅につながることを明示した。

第二に、美学的考察を主として行った研究としては、まずバフチンの「作者と主人公」（一九二〇年代前半に書かれたと推定される）の第三章「主人公の時間的全体」があげられる。バフチンはそのなかで、誕生と死から成る生の時間的全体を経験できずにそれを内側から生きる主人公と、生の時間的全体を外側からとらえる作者の相互作用が作品を成立させる、というテーゼを論証しようと試みている。同じ作者の手になる「小説における時間と時空間の諸形式」（執筆は一九三七―三八）も、主に美学的考察を行っている研究である。そして、美学的観点から書かれた時間論的文学論の金字塔と言えるのが、A・A・メンディロウの『時間と小説』（一九五二）である。

メンディロウの書は、時間と小説の関係の通時的な考察と作品の時間構造の精緻な分析を行う一方、時間と言語の関係、読書行為と時間の関係にも光を当てており、時間論的文学論の域を越えたすぐれた小説論となっている。その他の研究としては、メンディロウの『時間と小説』の圧倒的な影響のもとに書かれた川端柳太郎の『小説と時間』（一九七八）と、福永武彦の『二十世紀小説論』（学習院大学における〔一九五三年度から七三年度までの〕講義草稿をもとにして、福永の死後、一九八四年に上梓された）がある。後者は、未完に終わっているが、九鬼周造の時間論的文学論（「文学の形而上学」〔一九四〇〕、「文学概論」〔京都帝国大学における一九三三年度の講義ノートをもとに、『九鬼周造全集』に収められたもの。その第十二章は「時間」となっている〕）と並んで、日本人が試みた非常に優れた体系的な時間論的文学論である。

第三に、心理学的・哲学的考察に力点を置く時間論的文学論としては、まず、ジャン・プイヨンの『時間と小説』（一九四六）があげられる。プイヨンはこの本の中で、フッサールの『内的時間意識の現象学』（一九二八）で打ち出された、「現在」を時間性の起点とする現象学的方法を理論的支柱とし、時間を外的な実在としてではなく、心理的現実性としてとらえることにより、文学作品に表現されている時間心理を分析した。心理学的・哲学的考察を主として行う時間論的文学論の、記念碑的大作とも言うべきなのが、ジョルジュ・プーレの『人間的時間の研究』（一九五〇—六八）である。プーレの著は、右に述べた現象学的方法を用いて、近代ルネサンス以後のフランスの思想家および作家の諸作品における時間の問題を論じたものである。また、プーレの著とほぼ時を同じくして、マーガレット・チャーチの『時間とリアリティー』（一九四九）が出ている。チャーチの書は、二十世紀のいく人かの作家を対象にして、プーレと同様、時間の観点から作家論を展開している。その他の心理学的・哲学的研究としては、ハンス・マイヤーホフの『文学における時間』（一九六〇）がある。これは、現代文学にあらわれた時間概念を体系的に記述した書であり、プーレのように、作家の時間概念を個別的に論じたものではない。

筆者が本書の第一部で行おうとする時間論的文学論は、心理学的・哲学的考察を主とするものである。そのさい筆者は、個々の作家の時間意識、時間概念、時間の主題、の特殊性ばかりでなく、思想史的、文学史的コンテクストの中で浮かびあがるそれらの普遍性にも光を当てることを意図している。それゆえ、第一部の時間論的文学論は、作家の特殊性と個別性を重視するプーレの研究と、時間の問題を一般化しようとするマイヤーホフの研究の中間に位置するものである。

右で、筆者は、第一部においては心理学的・哲学的考察に力点を置くと述べたが、それは時間の美学的問題を無視するということではない。なぜなら、主題、心理といった作品の内容は、作品の時間構造という形式面と切り離せないものであり、主題、心理をより明らかにするためには、作品の時間構造にたいする言及も当然なされなければならないからである。

以上の方法論的論議に加えて、筆者が明確にしておかなくてはならないのは、考察の対象である。本書の第一部の表題は、「二十世紀文学と時間」となっているが、第一部で考察の中心となるのは、二十世紀の英米の作家、それも時間にとりつかれた英米の作家の代表的ないくつかの作品である。それゆえ、筆者は、二十世紀文学全体を俯瞰する総攬的な時間論的文学論を志すつもりは毛頭ない。また、それは筆者の力量に余ることである。本書の第一部は、二十世紀文学において見出される、いくつかの時間の主題を浮かびあがらせることを目的とした、ささやかな試みである。

序章　花咲く時間文学

中世ヨーロッパにおいて、時間は人間と敵対するものではなかった。なぜなら、人間は黙示録的終末へと向かう目的論的な時間のうちに生きており、時間の進行は、「神の都」へと一歩一歩近づくことであったからだ。ところが、神への信仰がゆらぎ、中世的世界観が崩壊してくるにつれて、時間はすべてを破壊しつくし、すべてを貪り食う暴力的なクロノスへと変貌し、人間と敵対する。また、時間の進行は死への歩みと同一視されるようになると、人々は時間の進行を恐れるようになる。すると、時間（クロノス）は徐々に人々の意識の中に侵入してくる。

十六世紀から十七世紀にかけての劇作家や詩人は、この時間にたいする意識を強く示している。それは、オブセッションとなっている。その最も代表的な存在がシェイクスピアであることは言うまでもない。彼は、特に『マクベス』（一六〇六頃）、『リア王』（一六〇五頃）、『ソネット集』（一六〇九）において、貪欲で破壊的な時を表現している。シェイクスピアばかりでなく、スペンサー（一五五二？―九九。イギリス・ルネサンス期を代表する詩人。主な作品に『妖精の女王』がある）は「時の廃墟」（『瞑想詩集』〔一五九一〕に収録）において、ミルトン（一六〇八―七四。イギリスの詩人。代表作に長編叙事詩『失楽園』がある）は「時について」（『詩集』〔一六四五〕に収録）の中で、また、マーロー（一五六四―九三。イギリスの劇作家）は『フォースタス博士』（一五八八頃）の終結部において、この貪欲で破壊的な時を意識している。その他、マーヴェル（一六二一―七八。イギリスの詩人。形而上詩人の一人）の「内気な恋人」（『詩集』〔一六八一〕に収録）も、そのような時にたいする意識を強く示した作品である。

十八世紀中葉以降、社会が産業化され都市化されるにつれて、人々は農村共同体が崩壊してゆくという社会構造上の変化を経験し、また科学技術の進歩によって引き起こされる環境上の、あるいは生活様式における著しい変化を目のあたりにする。このような絶え間なく変化する状況の内におかれたディドロ（一七一三―八四。フランスの思想家。「百科全書派」の代表的存在）、コンスタン（一七六七―一八三〇。フランスの小説家）、スターン（一七一三―六八。イギリスの小説家。彼の作品は、時間論的観点からみて、二十世紀文学の先駆けとみなすことができる）などの文学者は、時の推移を強く意識し、常に変化してやまない現実を作品において描き出している（ディドロの『ラモーの甥』（一七六二－七二年に執筆。生前未刊）、コンスタンの『アドルフ』（一八一六）、スターンの『トリストラム・シャンディ』（一七六〇－六七）など）。たとえば、プーレは、『人間的時間の研究』のなかで、ディドロとコンスタンの時間感覚について、以下のように述べている。

> 宇宙が姿を現し、同時に消え去ってゆくのを人間が見るということ、これはすでに、もろもろの事物のヘラクレイトス的な流れのうちに身を躍らせていることを意味する。……普遍的な流動性のために、ひとが事物を保持していると思っている瞬間に、事物は持続という河のほかの水滴とともに、指のあいだから流れ去ってしまう。
>
> （「ディドロ」、篠田浩一郎訳）

> 現在から未来にかけて、……どのような種類の連続を打ち樹てることも不可能と

なる。……確実なものはたったふたつしかないのだ。すなわち、ひとつは、現在という瞬間があるということ。もうひとつは、この瞬間はやがておわり、つぎの瞬間はこの瞬間と同じものではなくなるということ。

（「バンジャマン・コンスタン」、篠田浩一郎訳）

人々の生活は、十七世紀以降機械時計が普及してくるにつれて、分秒きざみで時間に支配されるようになるが、十八世紀中葉以降の産業革命の進行は、この「機械の時」（ジャック・アタリ）の支配をいっそう強めることになる。ポー、メルヴィル、ボードレールは、「機械の時」の支配を最も鋭敏に感じとった文学者である。ポーは、「鐘楼の悪魔」（一八三九）で、人間の生理が「機械の時」に支配される様を諷刺的に描いており、ボードレールは、「時計」（『悪の華』〔一八五七初版、一八六一再版〕に収められている詩）、「二重の部屋」、「酔え」（ともに『パリの憂鬱』〔一八六九〕の中の散文詩）などの作品において、「機械の時」の支配にたいする恐怖を表現し、メルヴィルは、「鐘塔」（一八五五）において、「機械の時」の支配にたいする反発、怒りを示している。

十九世紀末から二十世紀初頭にかけ、人々は、さらなる社会構造上の変化（たとえば、安定し調和していた十九世紀の市民社会の没落・崩壊）を経験し、科学技術のいっそうの進歩によって、生活様式における著しい変化を経験する。一方、二十世紀初頭の産業資本主義の飛躍的発展、それと不可分である輸送手段のスピード化、これらは、第一次世界大戦中に加速度的におし進められる。そうなると、生産の手段であり、スピードを計量する「機械の時」の支配はいっそう強まる。このような社会的状況の中におかれた二十世紀の作家たちは、時の推移、時の破壊作用を、そして「機械の時」の支配をよりいっそう強く意識している。彼らは、時間を作品中のリアリティーの中心的部分としてとり入れ、かつそれを作品の主題としている。たとえば、プルーストの『失われた時を求めて』、ヴァージニア・ウルフの『燈台へ』、『波』（一九三一）、ドス・パソス（一八九六―一九七〇。アメリカの小説家。アメリカの全体像を、パノラマ的で実験的な手法で描いた）の『U．S．A．』（一九三〇―三六）、フォークナーの『パイロン（標識塔）』（一九三五）などはその代表的な例である。

しかしながら、二十世紀の作家たちは、そのような外的時間を強く意識しただけではない。彼らは、内的な心理的な時間、個我に固有な時間を強く意識し、それを主題化している。スターン、ルソー、ワーズワースなどは、心理的時間の存在に早くから気づいていたが、二十世紀初頭において、特にこの心理的時間にたいする作家の自覚は顕著になる。それはなぜだろうか。十九世紀末から二十世紀初めにかけて、ウィリアム・ジェイムズの「意識の流れ」、エルンスト・マッハの「生理的時間」、ベルクソンの「持続」、アインシュタインの「相対性理論」など、時間の絶対性や量的性格を否定する思想が次々に現れ出たということ、また、二十世紀の歴史的、社会的状況が、科学による社会の進歩の信念に裏打ちされた歴史的・絶対的時間への信頼をゆるがしたということは、作家の心理的時間にたいする自覚を生み出した要因の一部であろう。しかし、これら外発的な理由をことさらに強調するべきではない。われわれは、作家が右に述べたような自覚に到った内発的な理由をも考慮すべきである。その内発的理由とは何か。それは、ますます「機械の時」に支配される生にたいする作家の疎外感、反発であり、抽象化され外在化してゆく時間に抗して、自己に固有の時＝「生きられる時間」（ミンコフスキー）を取り戻し、その「生きられる時間」の中に見出される真の自我を回復しようとする作家の切なる願いであり、また、人間の内面の多様性と複雑性を、心理的時間の多様性と複雑性の探究によって描き出そうとする作家の意志である。このような内発的理由があってこそ、二十世紀の作家たちの多くは、心理的時間を強く意識し、それを作品の中心的主題としたのである。

以上、二十世紀の作家が時間を――外的時間ばかりでなく内的・心理的時間を――主題化するようになった経緯をごく簡単に述べてきた。それでは、彼らはどのように時間の問題を主題化しているか。それが、以下の論考で答えられねばならぬ点である。

以下の論考は、六つの章から成り立っているが、このような章分けは、恣意的になされたものではなく、明確な意図と目的をもってなされたものである。それは第一に、作家たちの扱う時間の主題をよりはっきりさせるためであり、第二に、それら主題の特殊性と普遍性の両方を明示するためである。

前おきがだいぶ長くなってしまった。さっそく第一の主題、「永続性」から話をはじめよう。

第一章　永続性――プルーストのほうへ――

もう一度探し出したぞ。
何を？　永遠を。

ランボー「うわごと」その二（堀口大學訳）

……過去のある音（ノオト）が持続し現在の心に様々な共鳴を呼び起こしているかどうか、それを歴史家の耳が聞いているかどうかによって、相手にする歴史という人間の姿がたしかに眼前にいるかいないかが定まるのです。

小林秀雄『私の人生観』

時間と永続性の問題は、哲学史におけるアポリアであった。哲学者や思想家たちは、時間の外に、あるいは時間の内に永続的なものを見出そうと努力してきた。

プラトンは、この問題を二元的な時間概念を示すことにより解決しようとした。彼は、「イデア界」は永遠であり、われわれが住む現実の世界は時間に支配されており、変化するものだと考えた。一方、ネオ・プラトニストたちは、プラトンのように二元的な時間概念を打ち出すのではなく、時間は永遠なる「一者」の「流出」であり、時間は永遠なるものが現実世界において動的な力と化したものである、という一元論的な時間概念を打ち出すことにより、変化の内に永続的なものを見出そうとしている。近代になって、キリスト教的永遠（これも、時間の外にある点で、プラトンと同様二元的な考えにもとづく永遠である）が失われると、思想家たちは、ネオ・プラトニストたちと同様、時間の内に永続的なものを見出そうと努力する。現実世界の外に永続性はないゆえ、現実世界に内在する永続性を探し求めるのだ。ヴィーコは、「新しい学」の構想のなかでそれを追求した（たとえば、「再帰」や「反復」の概念）。ニーチェは、それを「永劫回帰」の概念を通じて示した。またユングの「神話類型」も、時間の内に存する永続性を指し示す概念である。

これら近代の思想家たちと同様、プルースト、ヴァージニア・ウルフ、T・S・エリオットなどの作家や詩人は、それぞれの作品において、時間の内に存する永続性の追求を中心的主題としている。それを追求することで、時と戦い、時を超越しようとしている。彼らは、いかにして時の中に永続的なものを見出そうとしたか。まずは、プルーストのほうへ目を向けることにしよう。

永続的実在の探究（1）プルースト

プルーストは、「フローベールの『文体』について」（一九二〇）というエッセイのなかで、『感情教育』（一八六九）を評して次のように述べている。

……その（＝フローベールの長所の）一つは、フローベールが時をじつにたくみに印象づける術を心得ていることだ。……時の変化から、それに寄生する挿話や物語の残滓などをとりはらったのは、フローベールが最初である。彼がはじめて、それを音楽に奏でたのだ。（鈴木道彦訳）

これは、フローベール論としてばかりでなく、プルーストが自作『失われた時を求めて』について語った文章としても読める。なぜなら、プルーストも、「時をたくみに印象づける術を心得て」おり、時を単に物語の筋を運ぶ手段として用いるのではなく、時の変化それ自体を表現しようとしており、そうすることで、時の交響曲を創り出そうとしたからだ。

では、プルーストは、『失われた時を求めて』において、いかにして時をたくみに印象づけ、時の変化それ自体を表現したか。それは、作品内の現実をすべて絶え間なく変化するものとして描くことによってである。語り手であると同時に主人公でもある「私」の知覚する事物、および「私」の感情は常に変化し、「私」と出会う登場人物は皆、心理的にも、肉体的にも、社会的地位という点においてもめまぐるしく変化し、「私」とそれら人物たちとの関係、人物同士の関係は変化してやまない。それら変化は、たとえば、「私」の夢想によって神話化される、プロテウスのように変幻自在でとらえどころのないアルベルチーヌ――「私」が接吻する際、十人もの女に変身し（『ゲルマントのほう』）、眠っている時は海のごとく波打ち揺れ動くように見える（『囚われの女』）アルベルチーヌ――に、また、「私」が恋人にたいしていだく、愛情、憎悪、信頼、疑惑、嫉妬、夢想、幻滅といった感情の相互交替、それら感情の生起と消滅の繰り返しに、あるいは、祖母やスワンの死、シャルリス氏の老化、ヴェルデュラン夫人の階級的変化、そして、「私」を取り巻く環境や歴史的社会的状況の変化に示されている。

これら生の全体を貫流する時の流れを、プルーストはどのようにとらえていたか。前述したプルーストのエッセイが書かれた年と同じ年（一九二〇）に出版された、ルカーチの『小説の理論』における次の言葉は、その問にたいしての答えを示してくれる。

理念と現実との間で最も大きくくいちがっているもの、それが時間である。主観性がみずからを証明する力をもたないことを、もっとも深刻に、もっとも屈辱的にあらわすのは、……主観性が緩慢でとだえることのない時の流れに抗しえず、ようやくにして征服した頂きから、徐々に、しかもとめどもなくずり落ちてゆき、この目にとらえがたく動くものが、主観性からそのいっさいの財産を徐々にもぎとり――いつのまにか――主観性に異質の内容を押しつけてゆくところ、その点なのだ。

（大久保健治訳）

〈時〉は、プルーストにとって、彼が生において得る「いっさいの財産」――彼が出会う人や事物、生において得る快楽、またそれらと共にある彼の自我など――を「徐々にもぎとってゆく」簒奪者として現れるのだ。

しかしながら、プルーストは、「この目にとらえがたく動く」簒奪者＝〈時〉に屈服しない。彼は、簒奪者＝〈時〉から「いっさいの財産」を取り戻そうと欲する。ここに、プルーストの〈時〉との闘争のドラマ、「失われた時」の探究のドラマが始まるのだ。いかにして、「いっさいの財産」を取り戻すか。それは、主観性の内に見出される持続である「記憶」によってである。「記憶」の中では、時間は無慈悲な不可逆の流れであることをやめる。過去を追想する人間は、「きのうやおとといよりも遥かに遠い日々に生きる」(『花咲く乙女たちのかげに』井上究一郎訳) ことができるのだ。

が、プルーストは、「記憶」によって「いっさいの財産」を取り戻そうとするばかりではない。彼の探究はさらに先へと進む。「記憶」の中で奪回される「いっさいの財産」の中に、本質的なもの、永続的な実在を探し求めようとする。

プルーストにとり、この永続的実在をよび起こすのが、「無意志的記憶」である。この「無意志的記憶」が、『スワン家のほうへ』におけるマドレーヌに関するエピソードで示されるのはあまりにも有名である。

その (=マドレーヌをお茶にひたすことによって得られる) 快感は、あたかも恋のはたらきと同じように高貴なエッセンスで私を満たし、たちまち私に人生の転変を度外視させ、人生の災厄を無害だと思わせ、人生の短さを錯覚だと感じさせたのであった。

(井上究一郎訳)

この「高貴なエッセンス」である永続的実在は、この作品を通じて何度か「私」にたいして示される。それは、「私」がマルタンヴィルの鐘塔を見た時に、バルベックで三本の木を見た際に、示される。「心情の間歇」のエピソードでは、永続的実在は、マドレーヌ体験とちがい、快感ではなく苦痛と悲しみを伴って「私」に開示される。また、「私」は『囚われの女』において、ある朝、永続的な実在を感じとる。「私」はそれを、時間の中で反復される「ある種のタイプ」としてとらえている。『見出された時』において、「私」はゲルマント大公夫人邸へ入るさい敷石に躓くが、その瞬間、永続的実在が「私」にとって明らかになる。そこで、永続的実在とは、過去と現在に共通する、同一の感覚、あるいは印象であることが示される。過去と現在が重なり合う際に経験される、「時間を免れた」永続的な瞬間、無意志的な記憶による過去の蘇生によって、「私」が過去と現在を同時に生きている超時間的な瞬間である。

しかしながら、この永続的な実在である、過去と現在に共通する感覚・印象も、無意志的記憶によって偶発的におとずれるものであるゆえ、時がたてば再び忘却の底に沈んでしまうであろう。それゆえ、「私」はこの永続的実在＝「事物のエッセンス」

を忘却から救い出すために、それを、「それと同じだけの法則をもち同じだけの思想をもった表徴（シーニュ）」に「翻訳」しようとする。「翻訳」することで、それを単なる偶発事から不動な、時の支配を脱したものへと化そうとする。さらには、「無意志的な記憶やごく主観的な印象から始まって、語り手は、自分を取りまいているすべてのシーニュに、意味を取り戻してやらねばならない」（鈴木道彦『プルーストを読む―「失われた時を求めて」の世界』、集英社新書）、と考える。そして、このような営為を可能にするものは何か。それは、芸術作品以外の何物でもない。これは、「私」＝主人公＝語り手の「生涯を言語化し、再構成することにほかならない……ここから、……虚構の自伝という方法が開始される」（同書）。これが、『失われた時を求めて』全体の結論である。また、プルーストがこの作品を書き出す動機をも語っている点で、作品全体のはじまりでもある。プルーストは、不可逆な時の克服を主題化しているばかりでなく、このような作品の円環的構造自体を通じて、不可逆な時に逆らおうとしているのだ。

＊

次にとりあげるヴァージニア・ウルフの『燈台へ』も、『失われた時を求めて』と同じく、永続的実在の追求を中心テーマとしている。しかしながら、ウルフの永続的実在にたいする観念は、プルーストのそれとは大きく異なっている。その違いとは何か。それを次節で明らかにしたいと思う。

永続的実在の探究（2）ヴァージニア・ウルフ

波しぶきを受け、風雨にさらされながら、超然とそびえ立っている燈台。闇を照らし、船を導き、時には渡り鳥の休息の場となる燈台。この作品において、ラムジイ夫人のイメージは、燈台のイメージと重なり合っている。ラムジイ夫人は、人生におけるあらゆる物事を耐えしのび、それらに超然としており、一方では、人々をやさしく迎え入れてくれる存在である。作中人物たちの多くは、このようなラムジイ夫人を慕い、探し求めている。たとえば、自意識に悩まされるインテリであるラムジイ氏は、ラムジイ夫人に同情とやさしさを求めており、芸術家リリイは、夫人の理想主義に懐疑的ではあるが、この作品の終わりの方で、みずからの芸術上の問の答えを求めて、夫人に、記憶の中の夫人の像に呼びかける。夫人の息子のジェイムズも、夫人を恋人のように慕っている。迷える人物たちは皆、ラムジイ夫人の内に己を導く光を見出しているのである。

この作品は、空間的には「燈台へ」向かっているが、このように、心理的には「ラムジイ夫人」へ向かっているのだ。この心理的方向性を最も劇的な形で示しているのが、リリイの永続的実在の探究である。ここでは、それに焦点をしぼって論を進めよう。

第二章「時は過ぎゆく」においては、十年の月日がまたたく間に過ぎゆく様が、美しい音楽的な散文で、あたかもフィルムが早送りされてゆくように描かれている。ここには、第一章「窓」の人間的世界はなく、すべてが自然の時の支配下にあり、ラムジイ夫人はこの十年の間に亡き人となる。続く第三章「燈台」が、リリイの永続的実在の探究を主として扱っている。ここでリリイは、すべてが時によって滅ぼされてゆく世界の中に、永続的で絶対的なものを探し求める。リリイにとり、この永続的で絶対的なものは何であったか。それは、過去のある一瞬におけるラムジイ夫人の像であった。リリイは、このラムジイ夫人の像を、『失われた時を求めて』の「私」と同様、時の支配を受けない「表徴（シーニュ）」に「翻訳」しようとする。彼女は、それを芸術作品（＝ここでは絵画）として形象化しようとする。リリイはその際、ラムジイ夫人に関する以外の想念、記憶心像を意志的にしりぞけ、想像力によって夫人の内面へ潜ってゆき、永続的なラムジイ夫人の像を純化し、明らかにしてゆく。

　第三章「燈台」においては、このリリイの永続的実在の探究それ自体が劇的であるが、それが、ラムジイ氏らが燈台へ船で向かう場面と対比的に描かれることにより、第三章はより劇的なものとなる。二つの別々の場面が、スペース・モンタージュ式に対比されるという構造によって、われわれが気づくことは、リリイのラムジイ夫人への心理的距離が縮まるにつれて、ラムジイ氏らの燈台への空間的距離が縮まるという関係である。このような二場面の有機的な関係は、この章をいっそう劇的にしている。同時に、それは、この節の冒頭で筆者が暗示した燈台とラムジイ夫人のメタフォリックな関係性を構造的に明示している。ラムジイ氏らの空間的運動とリリイの心理的運動は、この小説の終わりでそれぞれのめざす一点へ到達する。つまり、ラムジイ氏らは燈台へたどり着き、それと同時にリリイはラムジイ夫人の過去の一瞬における像＝永続的実在を芸術作品として形象化する。

ヴァージニア・ウルフは、永続的実在を芸術作品として形象化することにより、それを主観的な偶発事から超時間的で客観的なものへと変換しようと試みる点において、プルーストと一致している。しかし、両者の永続的実在にたいする観念は全く異なっている。プルーストにとって、永続的実在とは、過去と現在に共通するものであり、過去から現在へ反復され得るものであるのにたいし、ウルフにとってそれは、過去と現在に共通するものではなく、反復され得ない、一回かぎりのものである。

歴史感覚

プルーストとヴァージニア・ウルフが、永続的なものを自己の内部に見出そうとするのにたいし、T・S・エリオットは、それを自己の外部に、より正確に言えば、他者との関係のうちに見出そうとする。すなわち、彼は、他者と共有する永続性を見出そうとするのである。エリオットの作品において、この自己の外部に存する永続性は、第一に、時間外に存するものとして、第二に、時間内に存するものとして示される。エリオットは、『聖灰水曜日』（一九三〇）において、第一の永続性を主題化している。この作品において、永続的なものは天上的なものとして示される。われわれは時間の桎梏を脱することによってのみ永続的なものへと到達できる、という二元的な、現世否定的なヴィジョンが示されている。

第二の永続性は、エリオットのエッセイにおいて、また、『四つの四重奏』において言及され、主題化されている。彼は、いくつかのエッセイにおいて、時間内の永続性として、現在の中に生きつづけ、現在と同時的に共存している過去をあげている。そのような永続的な過去を、彼は「伝統」とか「文化」という概念で示している。そして、彼は、このような時間内の永続性を見出す感覚を、「伝統と個人の才能」（一九一九）において「歴史感覚」（'historical sense'）と名づけ、「エウリピデスとマリ教授」（一九二〇）においては「創造的な目」（'creative eye'）と名づけ、また「ラディヤード・キプリング」（一九四一）においては、「歴史的想像力」（'historical imagination'）と呼んでいる。

『四つの四重奏』においても、この作品における永続性の探究のドラマにおいても、この「歴史感覚」は中心的な役割を演じている。この作品における「歴史感覚」とはいかなるものか。それを、以下、この作品における永続性追求の内的ドラマの軌跡をたどることで明らかにしてみよう。

『四つの四重奏』における永続性の探究の出発点となるのが、「バラ園での瞬間」である。語り手は、バラ園で経験した永続性――それも、他者（詩では「あなた」や「彼ら」という言葉で表されている）と共有する永続性――の探究にのりだす。語り手は、まずそれを「回転する世界の静止せる点」というプラトン的イメージによって表現してみる。しかし、バラ園での一瞬は、そのような永遠を時間から切り離してしまうイメージでは言い表せないと感じる。なぜなら、「時の中にあってこそバラ園の瞬間は思い出される」からだ。そこで、バラ園の瞬間は「停止しているのでも運動しているのでもない」一瞬だと言い換えている。ところで、そのような時と永遠が交差する一瞬は、語り手を取り巻く現実の中に存在しているだろうか。語り手の知る現実においては、「無用の悲しい時間」が前にも後にも広がっているだけであり、バラ園で語り手におとずれたような光につつまれた恩寵の一瞬はない。また、時間はもはや終末へと目的論的に意味づけられておらず、未来に永続性を期待することはできない。

終わりはないのだ、つけ加えられていくだけなのだ。さらに日と時間がだらだらと続いてゆくだけのことだ……。

（「ドライ・サルヴェイジズ」）

このような「耐えがたい現実」を前にした語り手は、永続性を過去と現在の持続性のうちに見出そうとする。現在に生きつづける過去――それも個人的な過去ではなく、他者と共有する過去――こそ永続的なものであるとする。そして語り手は、現在に生きつづける永続的な過去をわれわれが感じとるには、過去における他者の苦悩をわれわれが現在のものとして感じとらなければならないと説く。語り手は、苦悩は時を超えて永続するのであり、苦悩の追体験を通じて、過去は死物であることをやめ現在に生き返る、と説く。

人々は変化する、……しかし苦悩は永続する。（「ドライ・サルヴェイジズ」）

この苦悩の追体験をともなった「歴史感覚」、詩の中の言葉を用いるなら、「歴史は今である」という感覚、によって内側から支えられる理念的共同体が「リトル・ギディング」である。ここでは、「歴史感覚」によって、「死者」は「生者」の中に生きつづけ、「死者」と「生者」は共生し得るのである。記憶の扉を開けてバラ園に入ってゆく者たち（＝「ぼく」と「きみ」）が、過去のこだま（＝「かれら」＝「目に見えないものら」）と出会うように、「リトル・ギディング」という共同体においては、「生者」は「死者」と「歴史感覚」を通じて出会うのだ。

＊

次に本書に登場する作家は、エリオットと同じく、アメリカ生まれの作家である。ヨーロッパに永住し、アメリカに背を向けたエリオットと異なり、その作家は、ヨーロッパにおけるエグザイル体験ののちアメリカに帰還し、自己の体験をすべて書き記すことにより、アメリカの全体像を描き出そうと試みた。その作家の名は、トマス・ウルフ、作品名は、『時と河について』である。

再生と反復

トマス・ウルフの『時と河について』の冒頭には、主人公ユージーン・ガントが、ボストンへ向けてものすごいスピードで走る列車の中から見た光景が描かれている。通りを歩く人々、家々、木々、町、が飛ぶように過ぎ去ってゆく様が描かれている。ユージーンは、事物がこのように過ぎ去りゆく様を見て、地上におけるすべてのものは「ハリケーンの際の一枚の木の葉」のようにはかなく消え去り二度と戻って来ない、と感じている。彼はここで、不可逆な、直線的な時間を意識しているのだ。

この不可逆的で直線的な時間にたいし、ユージーンはファウストのように反逆する。つぎつぎに現れてきては消え去ってゆく事物をすべて記憶しつくそうという、彼の不可能な企て（第二巻『若きファウスト』）は、不可逆で直線的な時間にたいする反逆を象徴的に示している。しかし、ユージーンは、時との戦いにおいて勝利をおさめることはできない。ただ、時の過ぎ去るのを絶望的な気持ちでながめているしかない。

時との戦いに勝つことができないとするなら、時と戦わずして時を克服し、超越するしかない。いかにしてそうすることが可能になるのか。ウルフは、それは時間にたいするわれわれの認識の変革によって可能になると考える。その時間の観念の変革とは何か。それは、直線的時間の観念から循環的時間の観念への転回である。彼は、時間を循環的なものであると認識することにより、己の有限性をのりこえようとし、時の流れの中に永続的なものを見出そうとするのである。では、循環的な時間の観念は、この作品においては具体的にはどのような形で表されているであろうか。

　第一に、それは「再生」の観念としてあらわれる。そして、「再生」の観念は、まず「生成する自然」（natura naturans）の観念を通じて示されている。つまり、自然の事物は、ひとたび過ぎ去っても、季節の循環によって回帰し再生する、という考えを通じて示される。次に引用する二つの文は、この「生成する自然」の観念を表している。

十月は回帰の季節だ。　（「テレマコス」）

この地上にあったすべてのものは、帰ってくる、帰ってくる。

（「テレマコス」）

また、「再生」の観念は、「輪廻」の観念としても表されている。この作品においては、「輪廻」の観念は、因果的輪廻（パリンゲネシス）としてではなく、実体的輪廻（メテムプシコーシス）として示される。つまり、霊魂は、肉体が滅びても、他の肉体、有機体に移行するという霊魂移体説としてあらわれる。この実体的輪廻（メテムプシコーシス）の観念は、次の引用文に―ホイットマンの「ぼく自身の歌」における 'it (the grass) seems to me the beautiful uncut hair of graves' や、'This grass is very dark' などの詩句を読者にすぐに想起させる次の引用文に―示されている（ホイットマンの詩句との類似性がはっきりするように原文で引用しておこう。原文の引用はScribner版〔一九三五〕に拠る）。

You must admit the grass is thicker here.
Hair grew like April on our buried flesh.

おまえは、草がここではより濃く生い茂っていることを認めなければならない。
毛は、われらの埋葬された肉体に四月のごとく生えたのだ。　（「プロテウス」）

循環的な時間の観念は、第二に（といっても、第一の「再生」の観念と全く別の観念ではないが）、「反復」の観念としてあらわれる。次に引用する文章は、「反復」の観念を最もはっきりと示している。そこでは、この世において見られる現象や出来事は反復するということが語られている（作者が「反復」の観念を示すさまざまな語彙を用いていることを明示するため、この引用文も原文のまま書き記すことにする）。

……the driving and beleaguered moon, the fiercely scudding clouds, the immense regimentation of heaven……had in them a kind of unchanging changefulness, a spoke-like recurrence which, sweeping past into oblivion, would return as on the upstroke of a wheel to repeat itself with an immutable precision, unvarying repetition.

……駆けゆく、明るく隈取りされた月、はげしく飛ぶ雲、はてしなく展開してゆく大空は、変わらぬ変化をしめしている。車輪のスポークの繰り返される動きのごとく、過去へ忘却されても、ふたたび戻り来る。変わることなく、正確に繰り返し回る、車輪の上向きのピストン運動さながら。（「プロテウス」）

引用中の、'recurrence'、'repeat'、'repetition'という語は、皆「反復」を意味している。また、'would'という助動詞は、過去に起こった出来事が現在に繰り返されるばかりでなく、現在に起こっていることが未来にも繰り返されるということを明示しており、ウルフの「反復」の観念が、キルケゴール的な「反復」、つまり前方へ、未来へ向けられた可能性としての反復の観念を内に含んでいることを物語っている。次に引用する文章も、「反復」の観念を明示している。

　そして、再び（'again'）、あの奇妙な、舞台の上で演じられるような人間喜劇のパノラマが……繰り返された。　（「プロテウス」）

　引用中の「再び」（'again'）という語は、ここだけでなく、第三巻「テレマコス」以降最も頻繁に用いられている語であり、「反復」の観念を強調している。

　この作品の第七巻「クロノスとレア」において、先程筆者が述べた未来に向けての反復の観念は、最も顕著になる。次の文章はそれをはっきりと述べている（この引用も未来形がはっきりわかるように原文で引用しておく）。

　The cry of the wolf will always be the same; the sound of the wheel will always be the same; and the hoof of the horse on the roads of every time will be the same. ……the cry of a man to his dog, and the barking of the dog; the call of the plowdriver to his horse, and the sound of the horse; the noise of the hunt, and the sound of the flowing water, will always be the same.

狼の叫び声はいつも同じであろう。車輪の音はいつも同じであろう。道行く馬の蹄の音はいつも同じであろう。……人が犬にむかって叫ぶ声、犬の吠える音、耕す人が馬に呼びかける声、馬がたてる音、狩りのざわめき、ながれる水の音は、いつも同じであろう。

「クロノスとレア」においては、このように「反復」の観念が述べられているばかりでない。同一の語、句、文が何度も繰り返され、あるリズムの単位がいくたびも繰り返されるため、「反復」の観念が小説言語の動きそのものによって示されている。また、「クロノスとレア」の物語的時間も、昼と夜との繰り返し、眠りと目覚めの繰り返しといった「反復」から成り立っており、「反復」の観念を強く示している。

このように、ウルフは「再生」と「反復」の観念を通じて、時の流れの内に、変化しない永続的なものを見出そうとしているのであるが、一方、彼は、観念の変革を通じて意志的に求めるのではない永続性を、ユージーンのディジョンにおけるある体験を通じて表現している。そこで彼は、プルーストのように、無意志的記憶によって開示される「超時間的領域」を描き出している。ユージーンのディジョンにおける体験とは、以下のようなものである。ユージーンは、鐘の音を聞いた瞬間、現在目にしているディジョンの町が自分の生まれた町に変貌するのを感じる。彼のヴィジョンの中で、ディジョンと彼の生まれた町は重なり合う。

そして今や、古い鐘の音とともに、彼のまわりのすべてのものは、瞬時にして生き生きしたものとなった。……

失われた魔法はすべて、この小さな白い広場で、この古きフランスの町でよみがえり、彼は、野蛮な新しいアメリカにおいてよりも、自分の幼年時代を、彼の父の気高く力強い生を身近に感じることができた。（「クロノスとレア」）

ユージーンは、ディジョンにおいて、機械文明に蝕まれた現在のアメリカにおいて失われた過去のアメリカを見出すのである。トマス・ウルフは、ヨーロッパ放浪中に、自らの故郷であるアメリカを再発見し、処女作『天使よ故郷を見よ』（一九二九）を書きはじめたのだが、このアメリカ再発見の経験の芸術的昇華が、右に述べたユージーンのディジョンでの体験なのであろう。

第二章　過去と現在の同時的共存——フォークナーのほうへ——

はるか昔に起こった出来事は、時間がたつにつれて、消えゆくどころかますます鮮明になり、ずっと以前に死んだ人々の顔は、人生そのものよりも生き生きしたものとなった。

エレン・グラスゴウ『保護された生活』

もう取り返しが付かないという黒い光が、私の未来を貫ぬいて、一瞬間に私の前に横たわる全生涯を物凄く照らしました。そうして私はがたがた顫えだしたのです。

夏目漱石『こゝろ』

二十世紀になるまで、近代の作家にとって、時間とは主に直線的な時間——たとえば、歴史的時間、物理学的・計量的時間――を意味していた。特に、科学の進歩によって、因果的な、決定論的な考え方が支配的になった十九世紀においては、作家は直線的な時間に信を置いていた。十九世紀における、直線的・歴史的枠組みに沿った客観的なリアリズム小説の隆盛はそのことを物語っている。ところが、筆者が序章で述べたように、二十世紀の作家たちは、このような直線的な時間にたいし反逆し、心理的時間の存在を強く主張し、それを主題化した。その中でも、特に顕著なものは、〈過去と現在の同時的共存〉という心理的時間の相である。つまり、過去は現在において失われたものでなく、現在の内に伏流のようにひそんでおり、連想作用によって、あるいは連想作用によらずして、時間は現在から過去へと、過去から現在へと自由自在に往復運動するということである。このような〈過去と現在の共存〉を、二十世紀作家のいく人かは、作品の中心的な主題とし、かつそれを作品の時間構造そのものによって示している。この章においては、〈過去と現在の共存〉を主題的にも構造的にも強く意識している作品を、いくつかとりあげてみることにする。

時間の対位法

ヴァージニア・ウルフにとって、過去は失われておらず、現在と共存している。先にとりあげた『燈台へ』のラムジイ夫人、ラムジイ氏、リリイ、ジェイムズにおいて、この〈過去と現在の共存〉は顕著である。ウルフのその他の作品においても、〈過去と現在の共存〉は見出されるが、特にそれが強く意識されている作品は『ダロウェイ夫人』である。この作品において、〈過去と現在の共存〉という心理的時間は、ビッグベンの示す計量的時間と対比されることで、より強調されている。『ダロウェイ夫人』に登場する多くの人物において〈過去と現在の共存〉は示されているが、ここでは、クラリッサとピーターに焦点をしぼってみよう。クラリッサとピーターの両者とも同じく、特に顕著に〈過去と現在の共存〉を示しているが、クラリッサの〈過去〉とピーターの〈過去〉は、質的に大きく異なり、また両者における〈過去と現在の共存〉のあり方は大きく相違している。その相違とはいかなるものであろうか。

クラリッサにとって、過去の一つ一つの瞬間は同等の価値を有しており、彼女が特定の過去にとらわれるということはない。換言すれば、彼女はあらゆる過去の瞬間にたいして関心を示す。また、クラリッサは過去を必然的なものとしてとらえ、その過去の上に成り立つ現在の自己を宿命的に受け入れているゆえ、己の過去にたいし後悔の念をいだくことはなく、それを冷静に、超然としてながめている。より正確に言えば、過去を必然的なものとしてとらえようと長い間努力してきたゆえに、そのような態度をとることができるようになったのである。

それに反して、ピーターの意識は、特定の過去へと向けられている。それは、クラリッサとの恋愛、実らずして潰え去ったクラリッサとの恋愛にまつわる記憶であり、その記憶が、現在でもなお彼を苦しめる。彼はまた、彼女との恋を実らすことのできなかった自分が、その後失敗者としての運命をたどり、中年となった今では人妻と恋に落ち、それが原因で引き起こされた訴訟にあくせくしているのをみて、そのような自分を決定づけたクラリッサとの恋愛の失敗という己の過去を憎み、悔やんでいる。そのうえ、彼は今なおクラリッサを愛しているゆえ（彼がクラリッサを愛していないと自己に強く言いきかせ、彼女への愛を強い意志をもって打ち消そうとするところなどに、彼のクラリッサへの愛の強さは逆説的に示されている）、彼は、クラリッサとの愛がすでに終わったという現実を思い起こすのがいっそう苦しいのである。このようにピーターは、過去に呪縛されているのである。

『ダロウェイ夫人』における物語の時間は、十二時間という短いものである。しかしながら、この作品は、短い時間の枠組の中に、右に述べたクラリッサやピーターの過去ばかりでなく、クラリッサの夫である上院議員のダロウェイ氏、クラリッサの女友達サリー、誇大妄想狂であり常に迫害妄想におそわれている統合失調症のセプティマス、その献身的なイタリア生まれの妻レツィアなど、多くの人物の過去を集約している。このような時間構造自体が、この作品の〈過去と現在の共存〉のテーマを、より明瞭に示している。

時間の病理学

フォークナーは、ほとんど全作品において、〈過去と現在の共存〉を構造的にも主題的にも明示している。ここでは、〈過去と現在の共存〉を最も顕著に示している、『響きと怒り』の第二章である、「クェンティンの（内的）独白の章」（一九一〇年六月二日）（以下、「クェンティンの章」と略記）を例にとって検討を加えてみよう。

「クェンティンの章」は、十二時間という短い時間の枠組の中に、さまざまな過去を集約するという時間構造を有しているという点で、『ダロウェイ夫人』と共通点を有している。しかしながら、両作品において、十二時間の経過を示す時計が作品の中で有している意味は全く異なっている。『ダロウェイ夫人』において、時計は人物の内面とほとんど関係なく流れる客観的な共時として表現されているが、「クェンティンの章」における時計は、クェンティンの内面心理と深くかかわっている。いかなる点で深くかかわっているのか。第一に、時計の刻む〈時〉は、クェンティンの死への意識によって有限化され、方向づけられている。クェンティンは、時計の示す時刻を己の死への道しるべとしてとらえている。第二に、時計は、クェンティンが敵とみなし、反逆しようとする〈時〉の象徴である。その意味で、時計は、クェンティンと〈時〉との間に演じられる内的ドラマにとりこまれている。クェンティンの反逆しようとする〈時〉とは、どのような〈時〉であるか。それは、彼の父コンプソン氏とクェンティンの〈時〉にたいする考え方の相違の中に示される。父コンプソン氏が、過去に起こったことは運命によって定められていたことであり、また人間は過去に起こったことを変えることも、その過去から自由になることもできず、それを宿命的に受け入れねばならぬ、と決定論的な、宿命論的な〈時〉を主張するのにたいし、クェンティンは、そのような〈時〉に反逆しようとする。時計を壊すという行為は、クェンティンの〈時〉への反逆を象徴的に示している。第二に、時計はクェンティンの内的時間意識の隠喩的表現である。針をもぎとられた時計や時計屋の調整されていない多くの時計は、彼の秩序を失った内的時間意識を隠喩的に示している。第三に、「クェンティンの章」における時計は、彼の心理と不可分であり、『ダロウェイ夫人』において見られるような、計量的時間と心理的時間の二元的対置はそこには見出されないのである。

次に、この作品における時計の意味の検討において筆者が言及した、クェンティンの〈時〉にたいする反逆と、秩序を失った彼の内的時間意識を、「クェンティンの章」において見出される〈過去と現在の共存〉を検討することで、さらに明確にしてみよう。

「クェンティンの章」における〈過去と現在の共存〉は、『ダロウェイ夫人』におけるそれよりもはるかに無秩序である。現在における連想作用によって過去が喚起され、また、現在と何の関係性も有していない過去が現在に侵入し、あるいは、現在に侵入してきた過去が別の過去をよび起こす、といったクェンティンのはげしい心的な往復運動のなかで、過去と現在は無秩序に混じりあう。章の終わりに近づくにつれ、クェンティンは、ついには現在の知覚対象を己の記憶心像と混同するようになる。たとえば、彼がジェラルドをドールトン・エイムズと思いこんで殴りかかろうとするところにそれは示されている。このようなクェンティンの内的時間意識の無秩序な様相は、「クェンティンの章」における文体論的な非一貫性、不連続性によって、より強調されている。

「クェンティンの章」において、現在と無秩序に混じりあう過去の中心をなすのが、キャディの処女喪失事件と、それをめぐってのクェンティンと彼の父との対話である。前者は、事件そのものの有する生々しさ、衝撃性をもって現在のクェンティンを悪夢のように責めたてる。キャディの処女喪失という出来事は、「スイカズラ」とか「水」などといった具象的なイメージを伴って、クェンティンの無意識の中に入りこんでおり、それが時折、クェンティンの意志と関係なく、間歇泉のように現在に吹き出して来てクェンティンを責めたて、呪縛する。

クェンティンと彼の父との対話にあらわれる、キャディの処女喪失事件にたいする彼の心理的反応は、この呪縛をより強固なものとする。父コンプソン氏は、キャディの事件を動かしがたい過去の厳然たる事実としてとらえ、それを宿命的なものとしてとらえるが、クェンティンは、そのようにキャディの事件をとらえることはできない。いや、父のようにキャディの事件を動かしがたい過去の一事実としてとらえつつも、なお、それから目をそむけ、過去の事実をねじ曲げ、変えてしまいたい欲求にかられるのだ（その意味で、彼と彼の父の対話は、彼の内的葛藤をも示している）。このクェンティンの欲求から生み出されたのが、キャディとの近親相姦の妄想である。この妄想は、キャディの処女がドールトン・エイムズに奪われたことにたいしての罪責感から、キャディの処女性を想像上で犯すことでキャディの処女性を独占したいと願う彼の倒錯した心理から、また、近親相姦の罪を犯すことでキャディと共に地獄に落ちて結ばれたいという願望から生まれたものであると同時に、キャディの事件を過去の一事実として、時間の中で生じた動かしがたい現実として認めたくないという彼の欲求から生じたものである。コンプソン氏のごとく、キャディの事件を宿命的な過去の出来事としてとらえるなら、それにたいする後悔は生じないが、クェンティンはそれを受け入れることができず、それをねじ曲げ改変したいと願うゆえに、それを悔やむのだ。

クェンティンのこのような過去への悔恨、過去にたいしての願望、欲求、を言語の上で、文体の上で示しているのが、キャディの事件に関する彼の独白の部分に出てくる仮定法表現である。たとえば、章の終わりの方には次のような表現が見出される（原文の引用は、The Library of America版〔二〇〇六〕に拠る）。

if i could tell you we did（= committed incest）it would have been so……

でも僕がお父さんにしたんだって言えたら　そうだったということになって……。

（平石貴樹／新納卓也訳）

条件節が仮定法過去で、主節が仮定法過去完了というこの「倒錯した」仮定法表現は、現在の意志により、過去に決定した事実を変えようとするクェンティンの心理を文体論的に物語る。また、彼は、キャディの処女を奪ったドールトン・エイムズの存在をこの世に生み出したエイムズの両親の行為まで、仮定法的可能性のもとにとらえようとする。

If i could have been his mother lying with open body lifted laughing, holding his father with my hand refraining, seeing, watching him（= Ames）die before he lived.

僕があいつの母親であればよかった　そうしたら横たわって開いたからだを反らし　笑いながら　片手で父親をつかんで動かないようにしてあいつが生まれると同時に死ぬところを見て　見物してやったのに。

この仮定法過去完了の文章は、過去の事実に反することにたいするクェンティンの願望、過去をつくりかえたいという彼の願望と共に、彼の願う通りにならない過去の現実にたいする彼の絶望と悔恨を物語っている（このほか、「クェンティンの章」の随所に仮定法表現が出てくるが、それらは皆、現実に反することがらへの彼の願望、過去を直視したくないという彼の心理、を物語る）。

以上見てきたように、キャディの処女喪失事件に関する彼の記憶に、それにたいする彼の心理的反応のうちに、彼の過去にたいする反逆、つまりはその過去を生じさせる〈時〉への反逆が、〈時〉から自由になりたいという彼の願いが示されているが、そのような彼の反逆や願いを無視して、過去は鮮烈な像を伴ってクェンティンを責めたてる。キャディの事件ばかりでなく、それを取り巻くようにしてクェンティンの心の中で氾濫している無数の過去の断片的な記憶心像が、クェンティンを呪縛する。それらの記憶心像は、どれも、コンプソン家の崩壊と腐敗と堕落を象徴するものである。

クェンティンは、これら過去の騒乱からのがれようとしても、それが不可能であると感じている。また、未来は何ら彼にたいして希望を、この呪縛する過去からの脱出口を与えてはくれない。なぜなら、未来へ向かう時は、再びいまわしい過去を呼び戻すにすぎないと彼には思われるからだ。それゆえ、彼は、過去が鳴りひびかせる「音」（「響き」）の聞こえないところに行こうと決心する。そして彼は、己の過去を永遠に葬り去ってしまおうと決心し、六月二日の夜、一人出かけてゆく。

時間のクロスワードパズル

余分な記憶を取り除く方法がいくつかあってもいいはずだ。どんなに俺はあのプルーストを憎んでいることだろう。ほんとに、やつのことを思うと胸糞が悪くなる。

これは、ハクスリーの『ガザに盲いて』の主人公であるアントニー・ビーヴィスがプルーストを評した言葉である。なぜアントニーはプルーストを自分の個人的な敵であるかのように憎んでいるのか。それは、プルーストが過去を思い出すことに喜びを見出しているのに反し、彼にとって、過去を思い出すことは苦しみ以外の何ものも意味しないからだ。彼は、プルーストの過去は「生ぬるい風呂」（'the tepid bath of remembered past'）であるとみなしているが、彼にとっての過去とは、いうなれば「煮えたぎる風呂」なのである。過去は現在にくい込むように存在し、彼を責めたてる。彼は、『響きと怒り』のクェンティンと同様、過去に呪縛されているのだ。クェンティンが、キャディの処女喪失という過去の一点にしばりつけられているように、アントニーは、彼の親友ブライアンの自殺という過去の一点にしばりつけられている。『ガザに盲いて』は、複数の人物の通時的な物語と、いくつかの年代ブロックごとに展開される共時的な物語が、縦横に交錯するという複雑な物語構造を有しているが、読者は、アントニーを呪縛する過去の一点であるブライアンの自殺の謎を知ろうとして、この複雑な「時間のクロスワードパズル」を丹念に解いてゆく。ブライアンはなぜ死んだのか。なぜブライアンの死が主人公を現在もなお苦しめ続けているのか。これらの問を発しつつ、読者は息詰まる緊張のただ中でページをめくるのである。ここでは、紙数の関係上、アントニーとブライアンとの間に展開される物語をすべて書き記すことはできないので、ブライアンの死に直接関係している、ある「三角関係」について簡単に記そう。

ブライアンは、ジョーンという名の女性に恋をする。敬虔なクリスチャンであるブライアンは、同じくクリスチャンであるジョーンの無垢と高い道徳性に魅かれたのである。彼はジョーンを恋しているうちに、彼女の肉体を愛するようになるが、肉欲を自己の道徳的低下とみなし、それを罪であると思い込み、ジョーンから遠ざかろうとする。ジョーンの無垢と道徳性を愛すれば愛するほどジョーンから遠ざかろうとする、ブライアンの逆説的ふるまいを理解できないジョーンは、それを愛に反する行為であると思い、また自己にたいする侮蔑と受け取る。なぜなら彼女は、互いに愛し合う男女の肉体的結びつきになんらやましさを感じていないからだ。

そんなある日、アントニーは、ジョーンから、ブライアンとの右に述べたような関係から生じる苦しみを縷々聞かされる。その晩、彼は、彼の愛人であるメアリイ・アンバートンにジョーンのことについて相談すると、アンバートンは、アントニーがジョーンに接吻してやればジョーンは苦しみから解放されると言ったため、彼は遊び半分でジョーンに接吻する。すると、ジョーンは、アントニーに本当に恋をしてしまう。

アントニーはそののち、ブライアンにジョーンとのことを尋ねられた時、ジョーンがもはやブライアンを愛しておらずアントニーを恋しているという事実を、また自分の遊び心が原因でそのような結果をまねいてしまったことを告白しようと思ったが、ブライアンのジョーンにたいする愛の強さを思うと、また、友人を裏切ったことにたいするやましさから、告白することができず、嘘をつく。そんな矢先、ジョーンは、アントニーと自分が恋仲になったいきさつ、そしてもはや自分がブライアンを愛していないということを、ブライアンに手紙で知らせる。ブライアンは、その手紙を受け取った日、恋人を失った悲しみと、友人に裏切られたことにたいするショックから、崖から飛び下りて自殺してしまう。

この日以来、アントニーは自分のせいでブライアンが自殺したのだと思い込み、罪の意識に苦しめられることになる。二十年近くたっても、この罪の意識は強まるばかりであり、それはブライアンの死んだ現場の生々しい光景を現在に呼び戻す。

このように、アントニーにおいて過去は現在と同時に存在し、過去は現在の彼を呪縛するのである。先にとりあげた『響きと怒り』のクェンティンは、現在に侵入してくる過去からのがれるため死を選んだ。しかし、アントニーは、クェンティンとちがい、肉体的な死によってではなく、精神上の死によって過去からのがれようとする。己の意識の中にのみ過去は存するゆえ、その意識から過去をとりのぞくことにより、すなわち過去にたいする意識の死を通じて、過去からのがれようとする。過去に執着せず、現在にのみ意識を集中するという汎現在主義的生き方によって、過去の呪縛を脱しようとするのである。

以上、アントニーの過去に焦点をしぼって話を進めてきたが、アントニーばかりでなく、他の人物――たとえばヘレン、ヒュー、そしてブライアンの母フォックス夫人――も、過去を背負い、その過去を現在において生きている。ハクスリーは、複数の登場人物において、このように過去と現在が共存している様を、人物たちの過去と現在を自由自在に往復運動する物語の時間そのものによって表現しようとしたのであろう。

第三章　時間の相対性——トーマス・マンのほうへ——

たった二時間と十分しかたっていない——私の父が腕時計を眺めながらさけびました——スロップ先生とオバダイアーがこの家に着いた時から数えてな。——それなのに、どういうわけか知らないが、なあトウビー、——わしの気持ではもう何十年もたったような気がするわい。

スターン『トリストラム・シャンディ』（朱牟田夏雄訳）

中国人は猫の眼のうちに時間を読む。

ボードレール「時計」（三好達治訳）

この章で考察する時間の相対性は、文学において示される時間の相対性である。アインシュタインの相対性理論などの物理学的理論において示される時間の相対性は、考察の対象外にある。

文学においてあらわれる時間の相対性は、大体三つに分けられる。第一に、個々人が有する心理的時間の質的相違からくる時間の相対性である。つまり、各々の人間は異なった時間意識を有しており、それゆえ個々人に共通する絶対的時間は存在しないということである。このような時間の相対性は、第二章で筆者がとりあげた『ダロウェイ夫人』や『響きと怒り』において顕著にあらわれている。

第二の時間の相対性は、個人間で生じる第一の時間の相対性とちがい、個人の内において生じるものである。つまり、個人の心理的時間の非均質性である。心理的時間の流れが、個人を取り巻く状況の変化や、個人の感情の変化などが原因で、個人にとって速くなったり遅くなったりするように感じられる、という意味での時間の相対性である。このような時間の相対性にたいして言及した作品としては、まず『トリストラム・シャンディ』があげられる。その第三巻の第十八章に、それは明確に述べられている。また、二十世紀の作家のうち、〈時〉を主題とする作品を書いた作家の多くが、この第二の時間の相対性について言及したり、それを作品の時間構造そのものによって示している（たとえば、ヴァージニア・ウルフの『オーランドー』、プルーストの『失われた時を求めて』には、この第二の時間の相対性についての言及がある）。

第三の時間の相対性は、個人的レベル（個人間あるいは個人内）において生じる時間の相対性ではなく、社会的・文化的レベルにおいて生じる時間の相対性である。つまり、異なった文化圏、社会に属している人間は、それぞれ質的に異なる時間に即して生活しており、異なる時間概念を有しているということである。この種の時間の相対性については、主としてレヴィ＝ストロースら文化人類学者たちが研究しており、E・T・ホールの『生のダンス』（一九八三）、ヨハネス・ファビアンの『時間と他者』（一九八三）、真木悠介の『時間の比較社会学』（一九八一）など、第三の時間の相対性をテーマとした体系的研究がいくつか出ている。この第三の時間の相対性について言及している作家としては、ヘンリー・ジェイムズ（一八四三―一九一六。アメリカ、イギリスの小説家。彼の作品は、二十世紀文学の源流の一つとなった）やトマス・ウルフなどがあげられる。ジェイムズは、国際状況をあつかったいくつかの作品において、また『ホーソン論』（一八七九）などのエッセイにおいて、アメリカ人の時間意識とヨーロッパ人の時間意識の質的相違について言及しており、また、ウルフは、『時と河について』において、アメリカ人、ユダヤ人、イギリス人、フランス人がそれぞれ違った時間意識を有することを書いている。

この章においては、第二の時間の相対性を主題としている代表的作品であるトーマス・マンの『魔の山』、第三の時間の相対性を主題化した代表的な作品であるカルペンティエルの『失われた足跡』を検討してみよう。

時間の伸縮

『魔の山』は、国際サナトリウム「ベルクホーフ」におけるハンス・カストルプの時間経験の報告書である。その時間経験とは、前述したように、時間の相対性にたいする感覚である。ハンス・カストルプは、それを次のように語っている。

僕たちの意識にとっては、時間は一様にむらなく経過することなんかない、僕たちは秩序をつけるために、時間が一様にむらなく経過すると仮定しているだけのことで、僕たちの時間単位などは単なる協定にすぎないんだよ……

（第三章「頭の冴え」佐藤晃一訳）

ここでハンス・カストルプは、時間の非均質性について語っている。このような時間の非均質性についての感覚は、この作品において具体的には、時間の伸び縮みにたいする感覚や時間の経過の速さにたいする感覚としてあらわされている。

ハンス・カストルプにとって、「ベルクホーフ」におけるはじめの数日間は、時間がたつのが長く感じられ、三週間の滞在期間の終わりに近づくにつれ、それは短く感じられる。その理由は、第四章の「時間感覚についての余論」という節において述べられている。語り手は、それを「慣れ」によるものだとしている。つまり、慣れていない生活においては物事がすべて新鮮で興趣に富んでいるため、われわれは多くのことを短い間に経験したように感じ、それゆえに時間は長く感じられるのであるが、その生活に慣れることにより、物事から新鮮さが失われ、われわれの外界にたいする関心が薄らぎ、一定時間内に意識し経験することが少なく思われるゆえに、われわれにとって時間は短く感じられるのだ、と語り手は述べている。

ハンス・カストルプは、三週間したら「ベルクホーフ」での滞在を終える予定であったが、肺に古い患部があると診断され「ベルクホーフ」の患者となる。患者になってから、彼にとって時の流れはより速く感じられるようになる。このような時間感覚は、「ベルクホーフ」における患者の生活様式と深くかかわっている。そこでは、毎日、同じ時間に起き、食事をし、同じ時間に診察を受ける、といった変わらぬ生活が果てしなく繰り返されるため、ハンス・カストルプは、日々の区切りを意識せず、何の気なしに日々を惰性的に送ってしまい、気がついてみると多くの日数が過ぎていることを見出すのである。

ハンス・カストルプは……昨日も一昨日も一週間前もほとんど変わりのないきょうの夕暮れをじっと眺める。もう晩である、——ついさっきまで、まだ朝だったではないか。……一日は、こうして文字どおり知らぬ間に崩れ去り消え去ってしまう。

このような、速く過ぎ去ってゆくと感じられる時間は、この作品全体を通じて言及されているが、時折、ハンス・カストルプは、それとは全く異なった時間を経験する。たとえば、音楽を聞いている時間、彼が恋するロシア人のマダム・ショーシャを待っている時間、などは彼にとり充実した長い時間に思われる。また、彼が雪山で迷い死の危険に瀕した時、彼が永遠の至福のヴィジョンを思い描く場面においては、十分間が彼にとり無限の長さに思われる。しかし、このような時間はまれにしかやってこない。ハンス・カストルプの経験する時間は、ほとんど「知らぬ間に崩れ去り消え去ってしまう」ものだ。「ベルクホーフ」における単調な毎日が繰り返されるにつれ、ハンス・カストルプにとり、「いまの現在はまた一ヶ月前の現在、一年前の現在とも区別がつかなくなりがちで、以前の現在と溶け合いながら永遠の現在」になってしまう。そうなると、彼はしだいに時間を「現在」の非連続的生起としてとらえるようになり、同時に、時の経過にたいする彼の意識は消え去ってしまう。なぜなら、時の経過というものは、時を連続体として表象することによってのみ意識されるものであるからだ。第七章の「浜辺の散歩」では、ハンス・カストルプが時計をポケットにしまいこむという行為が記されているが、これは、彼が時の経過についての意識から解放されることを象徴的に示す行為である。事実、この時以来、ハンス・カストルプの時の経過にたいする意識に関する記述は、この作品から姿を消してしまう。

この作品は、右に述べてきたように、時間の相対性を主題として扱っているが、同時に、それを作品の時間構造そのものによって示している。この作品においては、ハンス・カストルプの時間の長短、伸縮に関する感覚が、そのまま物語的時間の長短や伸縮として構造的に示されている。それゆえ、『魔の山』において、内容と形式は別々のものではなく、内容即形式なのである。

時間の考古学

『失われた足跡』の語り手＝主人公である〈わたし〉は、アメリカのある大都市で宣伝映画の音楽をつくる仕事をしている人物である。〈わたし〉は時計に支配される自分の単調な生活にあきあきしており、そこから抜け出したいと願っている。次に引用する文章は、この〈わたし〉の願望を物語る。

フェルトで内張りされ、防音装置のほどこされた窓のない部屋に、つまり、きわめて人工的な場所にいつも身を置き、時計やストップウォッチやメトロノームの間で、自分の技術に縛りつけられていたので、毎日夜の街に出ると、わたしは本能的に時間の流れを忘れさせてくれるような慰安を求めるのであった。

（牛島信明訳）

そんな〈わたし〉にたいし、器官学博物館の館長が、あるインディオの楽器を南米のジャングルに行って探し出してきてほしいと依頼する。その依頼を〈わたし〉は引き受け、南米へと渡り、インディオの楽器を求める旅を始める。ジャングルの奥地めざし、南米のある大河を遡行する旅に出かける。その遡行の旅において、〈わたし〉は、大都市を支配する時計の計量的時間とは質的に全く異なる時間を生きることになる。

旅をしてゆくうちに、大都市の時間はしだいに絶対性を失ってゆく。
この〈わたし〉の空間的遡行の旅は、同時に時間的な遡行の旅である。そこでは、〈わたし〉は歴史上のさまざまな時を遡行的に経験する。〈わたし〉が河をさかのぼるさい立ち寄るインディオの共同体において、〈わたし〉は、歴史上の過去が現在の空間において今なお生きつづけていることを、そのような過去が人々によって今も生きられていることを見出し、〈わたし〉も過去を現在において生きているような感覚をいだく。たとえば、〈馬の国〉では「ルネサンス」が、〈プエルト・アヌンシオン〉では「中世」が、現在によみがえるのを〈わたし〉は目の当たりにする。〈わたし〉の空間的＝時間的な遡行の旅はさらに進む。インディオの或る集落では、〈わたし〉は、「中世」をはるかに超え、「先史時代」へ向けて時間を遡行していると感じる。

……日付は止むことなく数字を失い続けた。……それから西暦〇年の裏側の日々がふえていき、……ついに、人間が大地をさまようのに疲れ、農耕を始めた時代にたどりついた。

この空間的＝時間的な遡行の旅の終点は、サンタ・モニカ・ロス・ベナードスという名の〈市（まち）〉である。ここで〈わたし〉は、〈原初の時〉、あるいは〈神話的な時〉ともいうべき時を経験する。この〈市〉は、時計に支配されておらず、そこには歴史は存在しない。そこで人々は自然のリズムに即して生きている。この〈市〉＝〈楽園（ユートピア）〉において、〈わたし〉は━自然から疎外され歴史や時計に支配されていた〈わたし〉は━自然と一体化し、本源的な自己を見出したと感じる。ところが、〈わたし〉は、捜索隊によって、再びこの〈楽園〉から時計の支配する〈地獄〉＝大都市へと連れ戻される。

大都市に連れ戻された〈わたし〉は、〈市〉で見出した〈楽園〉、そこで生きた〈原初の時〉を忘れることができず、再び〈市〉をめざして遡行の旅をする。ところが、〈市〉へ通ずる入口は増水のため失われていた。そして、〈わたし〉を〈市〉へと、本源的な自己へとみちびいた女であるロサリオは、他の男とすでに結婚していた。その時、〈わたし〉は、自分が時間のない世界にはもはや戻れないことを、同時に、時間の中でしか創造行為をすることができない、芸術家としての自己の宿命を自覚する。

第四章　時間の非連続性——サルトルのほうへ——

生がその第一の現実を見出すのは、常にひとつの瞬間においてである。
ガストン・バシュラール『瞬間の直観』（掛下栄一郎訳）

われわれはよく時間を連続体として表象する。たとえば、「時の流れの中で」とか「時間が経過するにつれて」とか言う場合、時間を連続したものとして表象していることになる。ところで、このような連続体としての時間は、われわれの生にとって現実性を有しているだろうか。知覚は、ある対象物やある対象物の属性をとらえるが、それらは瞬時にして知覚から逃げ去ってゆく、という直接的な経験を連続体としての時間は明示しているであろうか。それは、無数の瞬間の集まりからなる直接的経験と無縁な表象なのではないか。このような問いかけから、つまり、時間の連続性にたいする疑いから、瞬間こそ時間の本質であるという考えが生まれてくる。瞬間こそ、行為し、認識する人間存在にとって現実性を有した時間であるという考えが生まれてくる。

二十世紀においてこのように時間を非連続的なものであると考える文学者・思想家は多い。ジョイス、ヘミングウェイ、カミュ、ボルヘス（一八九九―一九八六。アルゼンチンの小説家。博引旁証の限りを尽くした幻想的な短編で知られ、代表作に『伝奇集』がある。現代ラテンアメリカ文学の先駆的存在）、サルトル、バシュラールなどはその代表的存在である。

この章では、このうちサルトルとカミュの作品をそれぞれ一つずつとりあげ、その中において時間の非連続性の主題がいかに表現されているかを検討してみたい。

自由の眩暈

サルトルの『嘔吐』（一九三八）は、形式的にも、文体的にも、状況設定という点においても、非連続的な小説である。この作品は、何の因果関係もない断片的な記述の寄せ集めである日記という形式をとっており、その文体は非連続的で断続的であり、また読者は、主人公ロカンタンを、一九三二年という時点で日記を書いているという点を除けば、いかなる時間的連続性の上にも位置づけることができない。彼の過去は、ほとんど明らかにされておらず、また彼は定まった未来をもたない。

このような、形式、文体、状況すべてにわたって見出される非連続性によって、読者は、この作品における時間の非連続性を強く意識させられるが、この小説は、時間の非連続性を主題としても扱っている。たとえば、以下に引用する文章にそれはあらわれている。

現在から逃れようとして現在の中に投げもどされ、現在の中に棄てられる。過去、それに合体しようとして私は失敗する。私は現在から逃れることができない。日が日に、わけもわからずつけ加わってゆく。それは果てしのない単調な加え算だ。

（白井浩司訳）

何ら過去との連続性をもたず、また未来へ目的論的に関係づけられていない「現在」の生起と消滅、「現在」が生まれ出ると、次の瞬間には虚無に帰ってゆくという「存在と無」の繰り返し、これが、ロカンタンの有する時間概念である。

時間的連続性の中で意味を与えられている〈存在〉は、時間的連続性から遊離した場合、その意味を剝奪される。それは無秩序の中へ放り込まれてしまう。このようにして意味を失った〈存在〉、なんの意味もなくそこに在る〈存在〉、これら裸にされた〈存在〉と向き合った主体＝ロカンタンが感じるものが「嘔吐」なのである。この作品において、この「嘔吐」体験を表現する文体は、とりわけ断続的である。たとえば、ある土曜日の朝（日付は明示されていない）ロカンタンが経験する、作品中最も長い「嘔吐」体験を描いた部分では、〈existe〉という語が果てしなく繰り返される。この〈existe〉という語の羅列と反復は、〈存在〉が次々に非連続的に立ち現れる様を文体論的に示している。

物、およびそれをとらえる主体が、いかなる連続性の内にもおかれていないということは、主体を不安におとし入れる。しかしそれは、主体にとって、不安であると同時に、自由を意味している。主体、そして主体がとらえる世界が、あらかじめ意味を与えられていないとすれば、それらに意味を付与するのは、主体の自由意志であるからだ。ここに、サルトルの「自由への道」が拓けてくる。その意味において、「嘔吐」とは、「自由への道」の入口なのである。

創造不断の時

カミュは、『幸福な死』（一九七一年、死後刊行）の第二部「意識された死」において、時間の非連続性を主題化している。しかし、そこには、『嘔吐』において見られたような時間の非連続性にたいする不安はほとんど見られない。主人公メルソーは、幸福感をもって時間の非連続性を受け入れている。それはなぜか。メルソーは、一刻ごとに世界が新しく創造されるのを感じ、一瞬一瞬が、新しい発見であると感じているからだ。そして、彼は、自然のリズムと自己の身体のリズムが一体化し、一瞬ごとに自然と自己が交感していることに充足感をおぼえているからだ。このようなメルソーの時間意識は、この作品の随所にあらわれているが、以下に引用する文は、それを最も明瞭に物語っている。

いまでは少なくとも、かれ（＝メルソー）が醒めているときには、時間は自分のものであり、また、赤い海から青い海へと移ってゆくその瞬間的な経過のなかで、なにか或る永遠なものがかれに対して形成されてゆくのを彼は感じていた。

かれは自分の血液が脈打つ音を、二時の太陽の激しい脈動に合わせるのだった。

（高畠正明訳）

メルソーにとって、時間は抽象的な実在ではない。彼にとり、それは生のリズムそのものである。彼は、非連続的な瞬間にすべての意識を集中し、それを精一杯生きているのである。

イスラム学者の井筒俊彦は、東洋的時間意識の元型として、「創造不断の時」をあげているが（『思想』三、四月号、一九八六）、メルソーにとっての時間も、まさしくこの「創造不断の時」である。井筒は、それを次のように説明している。

万物は、一瞬ごとに「有」の次元に生起してくる。そして一瞬ごとに「無」の底に沈む。「有」と「無」の間のこの不断の振幅、それを観想者の意識は、自己の存在そのものの脈搏として感得する。存在世界の全体を貫流する生命エネルギーの脈搏と、彼の身にみなぎる生気の脈搏とが、一つのリズムとなって鼓動する。

『嘔吐』のロカンタンは、「有」と「無」の間の不断の振幅を感じとっているが、自己と世界とが「一つのリズム」の内に存していると感じていない。自己と世界は、不協和音をかなでている。それに反して、メルソーは、自己と世界が「一つのリズム」の内にあることを感得している。それゆえ、彼は、自己が世界から疎外される不条理な存在であるとは感じていないのである。

第五章　祝祭的時間（間主観的状況における時間の非日常性）
――ロレンスのほうへ――

祭に参加する者は神話の事件と時を同じくする。言い換えれば、彼らはその歴史的時間、つまり俗なる個人的ならびに人間関係的条件の総和から構成される時間を脱出する――そして常に同一であり、永遠性に属する太初の時へと回帰するのである。

エリアーデ『聖と俗』（風間敏夫訳）

文化人類学者の青木保は、「境界の時間」（一九八一）という論文の中で、あらゆる文化圏において見出される二つの型の時間を指摘している。一つは「日常的時間」であり、もう一つは「非日常的時間」である。このような分類法はさして珍しいものではないが、われわれの興味をひくのは、青木が「非日常的時間」をさらに二つのカテゴリーに分類している点である。その二つとは、〈個人的主観的状況〉において到来する「非日常的時間」と、〈間主観的状況〉において到来する「非日常的時間」である。前者は、自我の内部に、あるいは自我と対象の関係のうちに生じる「非日常的時間」である。たとえば、プルーストの「特権的瞬間」、ジョイスの「エピファニー」の瞬間、『燈台へ』のラムジイ夫人やリリイが感じとり、見出そうとする永遠の瞬間、ユージーンがディジョンで経験する過去と現在が一体化する瞬間、ハンス・カストルプが雪山で迷った時感じとった永遠の瞬間、これらは皆、〈個人的主観的状況〉において示される「非日常的時間」である。一方、後者は、青木によると、「人々が各自もっている主観的な時間が、日常的時間構造の枠外で他者のそれと出会い融合する時間」である。このような時間は、たとえば、祭の時やスポーツ観戦の際などに生じるものである。この章では、このような〈間主観的状況〉における「非日常的時間」を主題とするいくつかの作品をとりあげてみよう。

　D・H・ロレンスは、『虹』（一九一五）、『恋する女たち』（一九二〇）など多くの作品において、人間同士の心身両面における〈合一〉を描いている。この〈合一〉を成し遂げた人間たちは、「非日常的時間」を共有する。この共有される「非日常的時間」において、人間は太古より永遠に繰り返されてきた宇宙の生成の営みを感じとる、とロレンスは言う。その意味で、この〈合一〉は、単なる恍惚の瞬間ではなく、人間が宇宙論的時間へ回帰するための儀式なのである。そして、〈合一〉を成し遂げた人間たちは、それによって宇宙開闢の瞬間を感じとり、身も心も新しくなって生まれ変わるのだとロレンスは説く。〈合一〉によって現出する「非日常的時間」は、再生への契機となる時間なのである。以下にとりあげる、ヘミングウェイとトマス・ウルフも、ロレンスと同様、〈間主観的状況〉における「非日常的時間」を、再生への契機となる時間としてとらえている。

ヘミングウェイの『日はまた昇る』（一九二六）における、再生の儀式＝「祝祭（フィエスタ）」の「非日常的時間」には、昼夜の区別はなく、そこでは時計は支配力を完全に失う。「祝祭」の「非日常的時間」においては、人々の心は一つとなり、人々は踊り狂い、飲みあかし、日常生活において抑圧してきた欲望を爆発的に解き放つ。「祝祭」の聖なる空間である「闘牛場」において、牛という「生贄」の血が流されることにより、人々の生の躍動、興奮は頂点に達する。この「祝祭」の場面には、毎日毎日繰り返される無目的な、無意味な生活を脱して精神的再生をとげたいという主人公ジェイクの、そして作者へミングウェイの願いがこめられている。

トマス・ウルフの『蜘蛛の巣と岩』（一九三九）の終結部に描かれる、「オクトーバー・フェスト」（毎年、九月下旬から十月上旬にミュンヘンで催される収穫祭）も、『日はまた昇る』の「祝祭」と同様、〈間主観的状況〉における「非日常的時間」を現出させる。主人公のジョージ・ウェバーは、「オクトーバー・フェスト」における、他者とのディオニュソス的合一のなかで、過去にたいする悔恨、罪悪感など、彼を縛りつける「蜘蛛の巣」から解放され、精神的な再生をとげ、未来に向けて力強く生きてゆくことを決心する。この小説の最後に出てくる、「汝再び故郷へ帰れず」という言葉は、この決心を物語っている。

第六章　死と時間（時間の有限性と不可逆性）——リルケのほうへ——

自分についての観念を持つということは、自分が死ぬべきものだという観念をもつことでありました。それゆえ人間は死に対してたたかいはじめたのです。

マルロー『アルテンブルクのくるみの木』（橋本一明訳）

今までずっと死んだみたいに生きてきましたから、死ぬ時には生きているみたいに死にたいわ。

ヘンリー・ジェイムズ『鳩の翼』のミリー・シールの言葉（青木次生訳）

ルネサンス以降、神を中心とする世界観が崩壊し、それに代わって科学的な世界観が発展してくるにつれ、〈死〉は、永遠の生への入口であることをやめる。〈死〉は、生命が物体へと帰する生物学的な一プロセスにすぎないという科学的見解により、人々は死後の虚無を意識するようになる。そして、社会が産業化され都市化されるにつれ、人々はお互いにますます孤立してゆき個我の自覚を深めてゆくため、〈死〉は「己の死」として、より人々の意識に入りこんでくる。すると、〈死〉はますます自己にとって現実性を有した恐るべきものになってくる。

このようにして、〈死〉が生における重大な問題として個々人の意識に入りこんでくるにつれ、〈死〉は思想的にも、文学的にも重要なテーマとなってくる。ヘーゲル、ジンメルなどの思想家、トルストイ、ドストエフスキーなどの文学者は、早くから〈死〉を実存的な課題として重要視してきたが、特に二十世紀になって、それはますます思想においても文学においても重要な主題となってくる。人間の存在を「死へとかかわる存在」と規定することにより、壮大な哲学体系を築き上げたハイデガー、〈死〉の本能の存在を明示し、それと生の本能との関係を明らかにしようとしたフロイト、フロイトの生と死の弁証法を継承発展させたマルクーゼやN・O・ブラウン、〈死〉を共同体との関係で問題にしたバタイユやリュック・ナンシー、〈死〉の他者性を強調したレヴィナス、〈死〉の臨床医学的考察を行ったフーコー、E・キューブラー・ロス、ヨーロッパにおける〈死〉――人々の〈死〉に対する態度――を歴史的に考察したトインビーやフイリップ・アリエス、ヨーロッパのみでなく、世界のあらゆる文化圏を対象に〈死〉の人類学的考察を行ったエドガール・モランなど、二十世紀の思想家、学者の多くが、〈死〉を中心的主題として取り扱っている。

一方、文学においても、〈死〉は現代的テーマとなっている。たとえば、ジェイムズは『鳩の翼』（一九〇二）において、リルケは『マルテの手記』（一九一〇）において、ロレンスは『恋する女たち』のなかで、トーマス・マンは『魔の山』において、ヘルマン・ブロッホ（一八八六―一九五一。オーストリアの小説家）は『ウェルギリウスの死』（一九四五）のなかで、ブランショ（一九〇七―二〇〇三。フランスの批評家、小説家）は『死の宣告』（一九四八）、バタイユ（一八九七―一九六二。フランスの思想家、小説家）は『C神父』（一九五〇）において、〈死〉を中心的主題としている。

本章では、〈死〉を中心的主題としている作品の中から、それも、時間との関係性のうちに〈死〉をとらえている作品、つまり〈未来〉として意識される観念としての

〈死〉を中心的主題としている作品の中からいくつかをとりあげ、それらの作品において〈未来〉としての〈死〉がどのように主題化されているかということについて考察を加えてみたい。

死へとかかわる存在

リルケは、〈死〉の詩人である。彼の作品は、ほとんど〈死〉の観念におおいつくされている。たとえば、『時禱詩集』（一九〇五。特にその第三部「貧しさと死の書」）、『ドゥイノの悲歌』（一九二三）、『神さまの話』（一九〇〇）の中の「死のお話とふしぎな添え書」、そして先ほど言及した『マルテの手記』などは、〈死〉の観念にみたされ、〈死〉を中心的主題としている作品である。これらの作品でリルケは、〈死〉を単なる肉体上の一現象としてではなく、〈生〉との弁証法的対立のもとにとらえている。彼は、〈死〉を、〈生〉を意味づける〈未来〉としてとらえているのだ。では、彼は、〈死〉はどのようにして〈生〉を意味づけると考えるのか。それを時間の観点から言うなら、〈死〉は、はかなく無意味に流れ過ぎる時間を有限化し、かけがえのない時間とするということだ。〈死〉という〈未来〉が、クロノスとしての時間をカイロスたらしめるということである。

時間が、かけがえのないものであるからこそ、われわれ人間は、一瞬も無駄にすることを許されず、一瞬一瞬を真剣に生きようとし、それを充実したものとしなければならないと思うのである。〈死〉は、このように時間の有限性をわれわれに意識させると同時に、生の「一回性」をも意識させる。人間は、生が繰り返しのきかないものだと思うことで、生の意義を見出し、それをますます真剣に生きようとする。『ドゥイノの悲歌』の第九の悲歌の中に見出される次の詩句は、生の「一回性」を、それが生にとってもつ大きな意味を強調している。

Ein Mal/jedes, nur *ein* Mal. *Ein* Mal und nichtmehr. Und wir auch/*ein* Mal. Nie wieder.

……一度／すべては、たった一度だけなのだ。一度だけでそれ以上はないのだ。

そしてわれわれもまた／一度だけなのだ。二度繰り返すことはできない。

ここに引用した詩句（原文の引用は、insel taschenbuch 版〔二〇一七〕に拠る）においては、'ein' と 'Mal' という単音節の語のもっている強いひびきにより、また、'ein Mal' という言葉が何度も繰り返されることで（しかも 'ein' という語がイタリック体で書かれることによって）、「一度」（'ein Mal'）という言葉が特に強調されている。このような一度かぎりの生を意識することで、人間は、より積極的に、意志的に己の生に参加してゆき、自己の生を〈死〉という〈未来〉へ向けて――リルケの好んで用いた比喩を用いるなら――樹木を育てるように、果実を実らすように、創造し、完成させてゆこうと努力するのである。

リルケは、〈死〉を、時間をカイロスたらしめ、生の意義をわれわれに意識させる〈未来〉としてとらえるばかりではない。彼は、〈死〉という〈未来〉への意識を通じ、人間は自己の自己性を見出すことができると考える。なぜなら、自己の〈死〉を意識することは、自己に固有な有限的な生を意識することであるからだ。プルーストが、現代社会において失われてゆく自己の自己性を、過去と現在の連続性のうちに見出そうとするのに対し、リルケは、それをプルーストと逆の方向に、自己の〈死〉に対する関係性のうちに見出そうとするのだ。

死の冒険

ヘミングウェイとマルローの諸作品は、リルケの作品と同様、生と死の弁証法を展開している。しかし、ヘミングウェイやマルローの作品にあらわれる〈死〉という〈未来〉は、リルケの作品におけるそれよりも、切迫した〈未来〉である。

彼らの作品の登場人物の多くは（たとえば、『王道』のペルカン、『誰がために鐘は鳴る』のロバート・ジョーダン）、切迫した〈死〉と進んで対峙しようとする。場合によっては、〈死〉を意志的に見出し、みずから、〈死〉をもたらすような危機的状況に飛び込んでゆき、己の生の有限性を己の自由意志によって選びとろうとする。

彼らは、なぜ〈死〉と進んで向き合おうとし、〈死〉を求めるのか。ヘミングウェイの人物に関していえば、彼らは、生を劇的なものと化するために〈死〉と向き合い、

〈死〉を求めるのである。彼らは、何の変化もなく、無意味に過ぎ去ってしまう生を、〈死〉と向き合わせることにより、エキサイティングな劇的なものにしようとするのである。

マルローの作品においても、〈死〉は生を劇化する〈未来〉として示されるが、そればかりではない。彼の作品では、〈死の恐怖〉からのがれるために〈死〉と向き合うという逆説が見出される。『王道』や『人間の条件』の主要人物は皆、〈死〉の恐怖にとりつかれている。彼らは、自分たちの生の時間が無意味に費やされ、あげくのはて、自分たちが老いて死んでゆくということを何よりも恐れる。彼らは、〈死〉を受動的に受け入れる生に耐えられぬゆえに、己の生を〈死〉の危険にさらすような状況にあえて飛び込む。生を〈死〉にさらす行為において経験される緊張感と高揚感のうちに、〈死〉にたいする恐怖を打ち消そうとする。〈死〉と向き合う行為の肉体性のうちに、〈死〉にたいする意識の観念性を消し去ろうとするのだ。この行為は、マルローの作品では、具体的には冒険の遂行、革命への参加などとしてあらわれている。

マルローの人物は、このような〈死〉を恐れないで行為しつづける生を賞揚している。『人間の条件』における、清（キヨ）の心理を描いた以下の引用にそれはあらわれる。

死ぬことを覚悟の上で生きられないような人世に、そもそもどんな価値があるだろう？

（小松　清／新庄嘉章訳）

言うまでもないが、ここで清を通じてマルローは〈死〉を賛美しているのではない。よりよく生きるためには、〈死〉を恐れないほどの強い意志を必要とすると言っているのだ。〈死〉に屈伏することなく、「死ぬことを覚悟の上で」己の生を能動的に生きること、それが、マルローにとっての「王道」なのだ。

死の対照実験

ボーヴォワールは、『人はすべて死す』という小説で、〈死〉の対照実験を行っている。不死を仮定して、〈死〉の意味を逆照射しようとする。

この作品の主人公であるフォスカが、女優レジーヌに語るところによると、彼は、バルトロメオという名の男の命を助けることと引き換えに、その男から不老不死の薬を譲り受け、不死の生命を得る。はじめのうちは、この不死の男＝フォスカは、不死の生ゆえに可能になった己の現世的成功に、また不死ゆえに得た権力に酔いしれ狂喜するが、年月がたつにつれて、しだいに生にたいして無関心になってゆき、いかなる愛も苦しみも希望もいだくことができなくなる。そして、無限に続く日々をただ無為に送るだけの、生ける屍となってゆく。そうなってはじめて、フォスカは、人間の生に意味を与えているのが〈死〉であることに気づき、自らの不死の運命を呪い、嘆く。

以上が、この小説のあらましである。このなかで、ボーヴォワールは、不死の男＝フォスカのたどる皮肉な運命を書き記すことにより、人間は〈死〉があるゆえに、一瞬一瞬を懸命になって生き、己の一度だけの生を己の意志によって選びとり築き上げてゆこうと努力し、また〈死〉があるゆえに、人間は人間らしい感情をもつことができるということを、つまり、〈死〉が〈生〉の根本条件であることを示そうとしている。

作者の文学的想像力は、〈死〉の陰画に光を当てることで、読者の脳裏の印画紙に、

〈死〉の像をくっきりと焼き付けるのである。

死へと向かう時間

〈死〉はわれわれに、時間の有限性を意識させると同時に、時間の方向性を意識させる。すなわち、〈死〉へと向かって流れる時間、不可逆な時間を意識させる。われわれは、時間の不可逆性を意識することにより、いっそう時間を破壊的な存在として表象するようになるのである。

時にとりつかれている作家の多くは、この時間の不可逆性を強く意識し、それを作品において主題化している。そして、時間の不可逆性を主題化する作家の多くが、不可逆な時間の克服や超越のドラマをそれぞれの作品において展開している、第一章でとりあげた、プルースト、ヴァージニア・ウルフ、トマス・ウルフはその代表的な作家である。プルーストは、『失われた時を求めて』において、「記憶」によって時間を逆行させせようとし、また、芸術作品を創り上げることで不可逆な時間の支配を脱することができると述べている。ヴァージニア・ウルフも、『燈台へ』において、プルーストと同様、芸術作品こそ不可逆な時間に打ち勝つ永続的なものであることを、リリイを通じて示している。トマス・ウルフは、『時と河について』において、時間の観念の変革を通じて不可逆な時間を超越しようとした。また、彼は、『天使よ故郷を見よ』と『汝再び故郷に帰れず』（一九四〇）においても、不可逆な時間を克服しようとしている。彼は、両作品において、時間を「生成」とみなすことで（前者は個体のレベルにおける「生成」〈＝ユージーンの肉体的成長〉であり、後者は社会的レベルにおける「生成」〈＝社会の崩壊と再生〉であるという違いはあるが）、時間の不可逆な流れに対する強迫観念から解放されようとしている。

＊

さて、本書の第一部でとりあげる作品は、いよいよあと一つとなった。最後にとりあげる作品は、病におかされた人間が〈死〉という最期に向けていだく意識を、透徹した眼差しでとらえた、カーソン・マッカラーズの最後の作品、『針のない時計』である。マッカラーズはこの作品において、〈死〉へと向かう時間の不可逆性、〈死〉によって定められる時間の有限性を示しているばかりでなく、〈死〉の脅威、〈死〉の本質的な不条理性を描き出そうと試みている。

マローンは死ぬ

エマニュエル・レヴィナスは、その主著『全体性と無限』（一九六一）において、〈死〉について次のように述べている。

脅威が本来的に存するのは……死が切迫しているということにおいてである。（中略）死の予見不可能な性格は、それがいかなる地平にも属さないという事実によっている。それは理解不能である。それは私に闘争するチャンスを与えずして襲いかかる。……死において私は、絶対的暴力にさらされており、夜の殺人にあっているといってよい。

レヴィナスは、ここで、〈死〉が脅威となる状況を語っており、〈死〉の本質的性格として、〈死〉の理解不能性、絶対的他者性、時間的不確定性をあげている。

レヴィナスが指摘するような、〈死〉の切迫した状況における〈死〉の脅威、〈死〉の本質的性格、そしてそこから生じる不安と恐れを、文学において最初に表現しようとした作家がトルストイである。トルストイは、『イワン・イリイチの死』（一八八六）においてそれらを表現しようとした。この作品は、〈死〉の脅威、〈死〉への不安と恐れを描き出しているばかりではない。それは、イワン・イリイチの死に至るまでの肉体的な変化の臨床医学的な観察記録である。すなわち、この作品は、〈死〉を内部と外部から描いている。観念として意識に入り込む〈死〉と現象としての〈死〉の両方を描き出している。

二十世紀になって、この『イワン・イリイチの死』と同一の状況、同一の主題を扱った作品が、マッカラーズの『針のない時計』である。この作品は、トルストイが行ったような、死にゆく肉体に対する観察はほとんど行っていないが、レヴィナスが指摘した〈死〉の本質的性格、そしてそこから生じる不安と恐れについて、トルストイ以上に意識した作品である（また、この作品は、レヴィナスの『全体性と無限』と同年〔一九六一〕に刊行されていることも言い添えておこう）。この作品全体を通じて、主人公であるJ・T・マローンの〈死〉の理解不能性、絶対的他者性、時間的不確定性にたいする意識、そのような性格を有した〈死〉にたいする恐れと不安が表現されているが、以下に引用する二つの文章は、そのようなマローンの心理を如実に物語る。

私にこれから起こる恐ろしいことは何なのか。それは何か。いつなんだ。私は何を待っているのか。

恐ろしさは、進行しつつあるドラマに関係して生まれたのだ――何のドラマなのかマローンにはわからなかったが。彼は問いかけた―この何ヶ月の内に何が起ころうとしているのか―どれだけの間続くのか……。彼は、針のない時計を見つめる男だった。

二つめの引用文における「針のない時計」という言葉は、この作品の表題ともなっているが、それは、〈死〉の時間的不確定性を暗示する言葉である。

アメリカの精神病理学者のE・キューブラー・ロスは、『死と死にゆくことについて』（一九六九）という本の中で、二百人近くの死期の迫った患者にたいしてなされたインタビュー記録をもとに、患者の〈死〉にたいする態度、姿勢の変化を五段階に分けている。その第一段階である「死の否認」、第二段階の「死への怒り」、第四段階の「死を前にした憂鬱と悲しみ」、第五段階の「死の受容」は、マローンにおいてはっきり見出される。マローンが死の宣告を受けた時、いちばんはじめに彼が〈死〉にたいして取る態度は、「死の否認」である。が、「死の否認」のあとには、「死への怒り」と「死を前にした悲しみと憂鬱」は必ずしも段階的にあらわれてはこない。それらは交互にあらわれる。つまり、マローンの〈死〉にたいしての態度は、怒りから悲しみ、憂鬱へ、そして再び怒りへと揺れ動くのである。これら〈死〉への揺れ動く心理は、先ほど述べた〈死〉の本質的性格からくる不安と恐れと、マローンの心中で混ざりあっている。

しかしながら、マローンは死期が近づくと、これら〈死〉への怒り、悲しみ、恐れ、不安から解き放たれ、〈死〉を受容する。死ぬ間際になって彼は、〈死〉を自分一人に襲いかかる不条理な出来事ではなく、すべての人間に共通する運命として、きわめて自然な出来事として受容できるようになる。

彼（＝マローン）は自然を見た。それは彼の一部であった。……彼は孤独ではなかった。彼は逆らいもしなければ、苦しみもしなかった。

この小説の最後には、〈死〉を受容したマローンが、安らかに死んでゆく様が描かれる。作者は、それをできるかぎり簡潔な文体で記すことにより、〈死〉がきわめて自然な現象であることを示し、同時に、〈死〉の際の静けさを表現している。

生はＪ・Ｔ・マローンから取り除かれた。彼の生は消え去った。そして水のいっぱい入ったグラスを持ったまま立っていたマローン夫人にとって、それはため息のように聞こえた。

結びにかえて――二十世紀後半の文学における時間――

第一部では、主に二十世紀前半に活躍した作家の作品をとりあげてきたが、ここでは、二十世紀後半の作家の作品において、時間の問題がどのように扱われているかについて、簡単な考察を加えてみよう。

コンラッド（一八五七―一九二四。ポーランド生まれのイギリスの小説家。ヘンリー・ジェイムズと並び二十世紀文学の源流となった）、ジョイス、ヴァージニア・ウルフ、フォークナーなどの二十世紀前半の作家たちが行った時間への反逆――絶対的な、外的な、客観的な、連続的な、直線的な時間にたいする反逆―そして彼らの内的、心理的時間にたいする意識は、二十世紀後半の作家において、ますます顕著になっている。特に、フランスのヌーヴォー・ロマンの作家たち、ラテンアメリカの作家たち、アメリカのポストモダニズムの作家たちにおいてそれは顕著である。たとえば、クロード・シモンは『フランドルへの道』において、ジョイスが『ユリシーズ』で、ウルフが『ダロウェイ夫人』で行ったように、短い物語の時間の枠組の中に厖大な過去の物語を集約している。また、ガルシア＝マルケス（一九二八―二〇一四。コロンビアの小説家。代表作『百年の孤独』は二十世紀文学の最高傑作の一つであり、世界中で翻訳され、日本におけるラテンアメリカ文学ブームをひきおこした）の『族長の秋』（一九七五）においては、コンラッドの『ノストローモ』（一九〇四）、フォークナーの『響きと怒り』や『アブサロム、アブサロム！』（一九三六）におけるように、物語の時間の流れは過去と現在を自由自在に往復し、速くなったり遅くなったりする。このような時間構造は、ピンチョンの『V.』（一九六三）においても見出される。また、ハクスリーが『ガザに盲いて』において物語の時間を解体したように、コルタサルは『石蹴り遊び』（一九六三）において、またジョセフ・ヘラーは『キャッチ＝22』（一九六一）において、物語の時間を解体し、読者にその再構築を要求している。その他、ロブ＝グリエの諸作品の物語的時間は、サルトルの『嘔吐』と同じく、因果性を欠いた非連続的なものであり、ジョン・バース（一九三〇―　。アメリカの小説家。ポストモダンな作風で知られる）の『キマイラ』（一九七二）の物語の時間は、直線的ではなく、円環的である。

　このように、二十世紀後半の文学においては、時間は、主題としてはあまり扱われなくなってきているとはいえ、**美学上の問題としては**、依然として強く意識されていると言えよう。

第二部　続・二十世紀文学と時間

はじめに

筆者の時間論的文学論は、ようやく折返し地点にさしかかった。第一部で、筆者は、二十世紀文学において時間がどのように主題化されているか、ということについて考察を進めてきた。そこでは、〈永続性〉、〈過去と現在の同時的共存〉、〈相対性〉、〈非連続性〉、〈祝祭性〉、〈有限性・不可逆性〉という六つの時間の相を論の対象とした。しかしながら、美学上の問題としての〈時間〉については、ほとんど触れることがなかった。作者が作品を書くに当たって、いかに時間を処理しているか、あるいは、作者がいかなる時間をつくり出しているか、という創造行為における具体的かつ実践的な問題にたいしては、まだ明確な答えを出していないままである。そこで、本書の第二部では、二十世紀文学における美学上の問題としての〈時間〉をテーマとして論を展開してみようと思う。そうすることによって、二十世紀文学の特質はよりいっそう明らかにされるはずであり、それと共に、筆者が論じている問題の重要性と現代性も、より明確になるはずである。

考察の対象としては、第一部とは異なり、小説ジャンル一つにしぼることにする。それゆえ、第二部の表題は、正確に言うなら「二十世紀文学における小説美学と時間」ということになる。また、論のなかで言及する作品は、第一部では英米文学を中心としたが、第二部は、英米文学の枠を大幅に逸脱して、世界的広がりをもたせてある。そうすることで、二十世紀文学のもつ「世界的同時性」を浮き彫りにすることを意図しているからである。

それでは、始めるとしよう。

第一章　方法としての時間

小説は時間芸術であり、いつの時代の小説家にとっても、〈時間〉は無視できない美学的要素であるが、二十世紀ほど〈時間〉が小説美学の中心に据えられた時代はない。二十世紀の小説家たちは、それ以前の作家たちに増して〈方法としての時間〉に強い関心をよせるようになった。では、二十世紀の作家たちは、いかなる点で、また、どのような理由から〈時間〉を〈方法〉として強く意識するようになったのか。以下、この問にたいして、いくつかの観点から答えてみようと思う。

その第一として、流動的ヴィジョンの提示ということがあげられる。二十世紀の小説家は、社会構造のいちじるしい変化、科学技術の進歩によって引き起こされる環境上の大きな変化、価値観のめまぐるしい変化を前にして、世界を流動的なものとしてより強く意識するようになり、同時に、作品においてこの流動的ヴィジョンを表現しようとした。その際、〈時間〉という美学的要素は〈方法〉として重要視されるようになる。すなわち、二十世紀の作家たちは、作品中の〈人物〉、〈空間〉＝〈人物を取り巻く世界〉をすべて〈時間〉の支配下におくことにより、流動的ヴィジョンを提示しようとしたということだ。しかも、彼らは、〈時間〉が、瞬間という微細な点にいたるまで〈人物〉、〈空間〉を支配する様を描くことで、瞬間ごとに流動する文学的世界を創出したのである。つまり、〈時間〉が進むにつれて、瞬間ごとに〈人物を取り巻く世界〉が生起し、消滅し、また、〈人物〉の肉体、心理、〈人物〉の知覚する事物、〈人物〉同士の関係が変化してゆく様子を提示しようとしたのである。プルーストの『失われた時を求めて』（一九一三―二七）、ヴァージニア・ウルフの『波』（一九三一）、トマス・ウルフの『時と河について』（一九三五）は、このような流動的ヴィジョンの提示のために〈時間〉を手法として用いている作品である。プルーストの『失われた時を求めて』については、すでに第一部で、このことについてくわしく述べた。ヴァージニア・ウルフの『波』においては、六人の視点人物の知覚する事物、感覚、心理が瞬間ごとに変化している。また、この作品の流動性は、フーガ的な物語構造、そして、各章の冒頭に記される、印象派的な手法で描かれたスケッチ（時間と共に変化する魔術的な光と影の絵模様）によって強調されている。トマス・ウルフの『時と河について』においても、たとえば「プロテウス」という巻では、〈時間〉の進行と共に、プロテウスのごとく変幻自在に姿を変える流動的な都市（＝ニューヨーク）が描かれている。

第二の点としてあげられるのは、内面性の追求ということである。小説の歴史は、内面性の追求、またはその深化の歴史と言ってよい。小説家たちは、人物の内面を描き出すために実にさまざまな手法を用いてきた。ある者は、人物の内面を「内的独白」という形で直接的に提示し、ある者は、人物を取り巻く世界を人物の心象風景として描くことにより、人物の内面を間接的に示し、またある者は、自伝、手紙、日記、手記などパーソナルな傾向の強い表現形式を作品の枠組としたり、あるいは作品の内に取り込むことにより、人物の内面を読者に提示してきた。〈時間〉という美学的要素が、特に二十世紀において〈方法〉としての重要性を帯びるのは、右に記したような内面性の追求という文脈においてである。二十世紀の小説家は、それ以前の小説家に増して、時間と内面性のかかわりに関心をもつようになった。つまり、時間は外的なものであるばかりでなく内的なものでもある、という自覚をいっそう強めた。それと同時に、内的時間のありようが内面性のありようを決めているという事実に気づくようになる。すると、内的時間をいかに処理するかという問題は、彼らにとり、内面性の追求という課題と密接なかかわりを有するようになる。かくして、〈時間〉は〈方法〉として自覚されるに至るのだ。

第三に、全体像の追求という点があげられる。バルザック、ゾラ、トルストイが、それぞれの長大な作品（群）において、社会の全体像を構築しようとしたことは周知の事実である。彼らは、さまざまな性格、民族的・社会的出自、文化的背景を有した多数の人物を作品に登場させ、また、それら人物を取り巻く歴史的情勢、社会的環境、文化的状況をすべて描き切ることによって、社会の全体像に迫ろうとした。二十世紀小説において、この全体像の構築という文学的営為は、よりいっそう作家の中心的課題となる。二十世紀の小説家は、社会の、いや世界の全体像をとらえるために（十九世紀的な社会的「全体小説」にとどまらず、心理的・哲学的・歴史的な世界観〔ヴィジョン〕の全体的構造をしめす〈全体小説〉を創造するために）、視点の複数化、神話的手法など実にさまざまな手法を用いるが、〈時間〉もその一つとして重要な意味を有してくる。第一に、彼らは、〈時間〉を、作品中のリアリティーを有機的全体へと統一する美学的要素としてとらえる。それを最も顕著に示す例は、二十世紀になって数多く書かれるようになった大河小説（roman fleuve）である。トーマス・マンの『ブッデンブローク家の人々』（一九〇一）を皮切りに、マルタン・デュ・ガール（一八八一―一九五八。フランスの小説家）の『チボー家の人々』（一九二二―四〇）、トマス・ウルフの『天使よ故郷を見よ』（一九二九）、『時と河について』、アンソニー・パウエル（一九〇五―二〇〇〇。イギリスの小説家）の『時の音楽にあわせた舞踏』（一九五一―七六）、そしてわが国では、北杜夫の『楡家の人々』（一九六四）など、世界のいたるところで書かれるようになった大河小説において、〈時間〉は、断片的な事物、事件を有機的な連続体へと統一し、人物の誕生から死にいたる生の全体性を開示してゆく美学的要素となっている。また、二十世紀の作家たちは、世界の全体像（全体的ヴィジョン）を描き出すために、〈時間〉を自由自在に処理している。彼らは、単線的で直線的な〈時間〉に反逆し、〈時間〉を同時的に進行させたり、逆行させせたりすることで、立体的で、重層的な文学的世界を築こうとするのだ。ある「現在」と同時的な他の「現在」を語り、また、「現在」と関係性を有した「過去」、「現在」の内に持続している「過去」を語ることにより、己の文学的世界を、空間的にも時間的にも全体性を有したものにしようとするのである（コンラッドの『ノストローモ』〔一九〇四〕、フォークナーの『八月の光』〔一九三二〕は、その顕著な例である。）。が、それればかりではない。内的時間にたいする自覚の深まりと共に、二十世紀の小説家は、〈時間〉を、外的ヴィジョンの全体性ばかりでなく、内的ヴィジョンの全体性をとらえる〈方法〉としても自覚するようになるのである。彼らは、内的時間の多様性と複雑性を描くことを通じて、人物の多様で複雑な内面生活の全体を描き出そうとするのである。ジョイスの『ユリシーズ』（一九二二）がその一例であることは言うまでもない。

二十世紀の作家が〈時間〉を〈方法〉として強く意識するようになった第四番目の理由として、作品の虚構性（あるいはテクスチュアリティー）にたいする自覚の深まりということがあげられる。二十世紀の作家たちは、作品の虚構性を強く意識するにつれ、作品の〈時間〉は、実人生の時間とは異なる虚構の〈時間〉であり、虚構の〈時間〉の処理の仕方により、さまざまな虚構の〈世界〉が生み出されてゆく、というあまりにも明白な事実にたいする認識を深めたのである。彼らは、虚構性の自覚ゆえに、作品の〈時間〉を、実人生を支配している計量的・歴史的時間に従属させることをやめる。二十世紀の作家にとり、〈時間〉は、単に終点にたどり着くための「レール」であることをやめ、単に作品の長さを測るための「ものさし」であることをやめる。それは、作品という織物を生産してゆく「糸」として作家の前にあらわれるのである。〈時間〉の糸の自由自在な処理によって、さまざまな織物（＝テクスト）が生み出されてゆくということを、二十世紀の作家たちは見出したのである。彼らは、〈時間〉の糸を、伸ばしたり縮めたり、時にはゆっくりと、ある時にはすばやく、繰り出したりたぐり寄せたり、また、切ったりつなぎ合わせたりしながら、縦に横にと交差させることにより、多様で複雑な文学的世界を生み出すことが可能になるということを強く認識したのだ。そのとき、彼らにとって〈時間〉は制約としてあるのではなく、可能性として、つまり、新しい虚構の世界を生み出す〈方法〉としてあらわれるのである。

第五番目として、読者と〈時間〉の関係にたいする作家の側の自覚の深まりという点があげられる。小説の時間は、日常的な時間とは異質な虚構の時間であり、読者もこの虚構の時間を生きている（つまり、その虚構の時間によって、作品が「現在」においいて生成されてゆくのを経験している）のであるから、作者がその虚構の時間をどう処理するかによって、読者の脳裏に描かれる図柄も千変万化する、という自明の事実を、二十世紀の小説家は、以前の小説家に増して強く認識するようになったのである。たとえば、A、B、Cという順序で生起した出来事を、A→B→Cの順に語るのと、C→B→Aの順に語るのとでは、あるいは、それらに因果性を与えて語るのと、それらを何の意味的つながりも持たない断片的なシーンとして並置するのとでは、読者の内に異なった興味、感覚を生じさせるということを、より意識するようになったのだ。そうなると、〈時間〉は、読者の心理を左右する〈方法〉としてとらえられるのである。たとえばフォークナーの諸作品は、読者にたいする心理的効果を考慮して、〈時間〉をひき伸ばしたり、縮めたり、逆転させたりしている。また、二十世紀小説

において は、読者自身に虚構の〈時間〉を創造させるために、〈時間〉を〈方法〉として用いるというケースがしばしば見られるようになる。読者にさまざまなテクストを生み出させるために、作品の時間にあえてつながりを与えない作品、時間の無秩序を装った作品が書かれるようになる。それは、アメリカのポストモダニズム文学、フランスのヌーヴォー・ロマン、現代ラテンアメリカ文学において多く見出される（ジョセフ・ヘラーの『キャッチ＝22』〔一九六一〕、ナボコフの『青白い炎』〔一九六二〕、ロブ＝グリエの『消しゴム』〔一九五三〕、コルタサルの『石蹴り遊び』〔一九六三〕など多数）。

以上、二十世紀の小説家が、〈時間〉を〈方法〉としてとらえるようになった経緯を、不十分ではあるが、いくつか指摘してきた。それでは、彼らは、具体的にはいかに〈時間〉を処理しているか。その問に答えるには、まず、二十世紀において小説の時間性がどのようなものとしてあらわれているかを明らかにしなくてはならない。二十世紀における小説の時間性は、二様の現象形態をとる。それは、第一に、〈物語の時間〉としてあらわれ、第二に、〈人物の生きる内的時間〉としてあらわれる。それゆえ、二十世紀の小説の〈時間〉を考察するに際しては、この二様の時間（それらはしばしば重なり合うこともあるが）を考慮にいれなくてはならない。すると、さきほどの問は、次の二つの問に分けられる。（1）二十世紀小説において〈物語の時間〉はどのように処理されているか。（2）二十世紀小説において〈人物の生きる内的時間〉はどのように処理されているか。次章では、このうち、まず第一の問である〈物語の時間〉の処理について考察してみたい。

第二章　物語の時間

〈物語の時間〉と言った場合、語る時間（物語をどのような仕方・順序で語るかということ）と語られる時間（物語の出来事が生じた年代的時間）、もっと厳密に言うなら、物語言説の時間と物語内容の時間（フランス語でいう histoire の時間、イタリア語でいう storia の時間）という二様の時間が考えられるが、今、筆者が問題にしようとしているのは前者の方、すなわち〈物語言説の時間〉である。では、二十世紀小説における〈物語言説の時間〉はいかに処理されているか。それを、以下、二十世紀小説において特に顕著となった四つの手法―物語言説の時間の同時化、非均質化、往復自在化（可逆化）、不連続化―をとりあげて考察してみることにする（「特に顕著となった」と右で筆者が述べたのは、これら四つの手法が、二十世紀の小説においてのみ見られるものではなく、それ以前の小説においても見られる手法であり、二十世紀になって特に強く作家によって意識された手法であることを意味したいからである。そのため、これらの手法について以下記していく際、二十世紀以前の小説も当然考察の対象になることは言うまでもない）。

同時化

小説家が、作品をより多面的で立体的なものとする手法の一つに、時間の複線化という手法がある。それは十八世紀において隆盛をきわめた書簡体小説（それも、ルソーの『新エロイーズ』〔一七六一〕、スモレット〔一七二一—七一。イギリスの小説家〕の『ハンフリー・クリンカー』〔一七七一〕、ラクロ〔一七四一—一八〇三。フランスの小説家。フランス心理小説の先駆者〕の『危険な関係』〔一七八二〕のような複数の視点から語られる書簡体小説）において顕著になってくる。十九世紀になると、バルザック、トルストイなど多くの作家たちが、この時間の複線化という手法を用いるようになる。が、それればかりではない。複線化した時間が同時的に進行するという現象がしばしば見られるようになる。ウォルター・スコット〔一七七一—一八三二。イギリス〔スコットランド〕の小説家。彼の歴史小説は、「ウェーバリー小説」の総称で知られる）の『アイヴァンホー』（一八一九）はその一例である（たとえば、第二十一章から二十四章にかけては、フロン・ド・ブーフの古城内の別々の場所で同時的に進行する複数の人物〔セドリック、ロウィーナ姫、レベッカ他〕の物語が語られている）。また、スタンダールの『パルムの僧院』（一八三九）にも時間の同時性は随所に見出される（第十六章に記される、サンセヴェリーナ公爵夫人を中心とする宮廷の物語は、第十五章の、パルムの城塞の牢獄におけるファブリスの物語と同時に進行している物語である）。時間の同時化の手法を、自家薬籠中のものとした作家、それは、ディケンズである。特に、『オリヴァー・トゥイスト』（一八三七―三九）において、この手法は頻繁に用いられている。たとえば、第二巻、第二十二章から二十五章にかけては、同じ夜に起こっている、オリヴァー、バンブル、フェイギンなど複数の人物の同時的な物語が語られている。ディケンズに強い影響を受けたと言われるドストエフスキーも、『カラマーゾフの兄弟』（一八七九―八〇）でこの手法をしばしば用いている（第二部、第八編の冒頭には、第七篇の終わりの方に記される、グルーシェニカがアリョーシャにドミートリーへの伝言を頼む場面と同時に進行する、ドミートリーの逃亡の場面が記されている）。右にあげた四作家ほど頻繁ではないが、バルザック、ゾラも、ときおり時間を同時化する（たとえば、バルザックの『幻滅』〔一八三七―四三〕の第三部の終わり、「格闘で負ける瞬間」と題された章で語られるエーヴの物語は、前章で語られるその兄リュシアンの物語と同時的である。また、ゾラの『ジェルミナール』〔一八八五〕の第三部の終わり〔マユとエチェンヌの場面〕と、第四部のはじめ〔エンヌボー夫妻を描く場面〕は、時間的にほぼ同時である）。

十九世紀の作家によってしばしば用いられるようになった、時間の同時化の手法を、二十世紀の作家たちはより〈方法〉として強く意識し、自由自在に使いこなすようになる。そうすることで、作品をさらに多様で複雑なものにし、それを劇的にする。ジョイスの『ユリシーズ』の第十挿話「さまよえる岩」は、その顕著な例と言えよう。そこでは、ダブリンのさまざまな場所で同時的に進行する多数の人物の物語を示すことにより、ダブリンという都市の全体像が立体的に描かれる。ドス・パソスも、ジョイスが試みたように、『マンハッタン乗換駅』〔一九二五〕において、都市（＝ニューヨーク）の全体像を時間の同時化の手法を多用することで浮かびあがらせようとする。同じくアメリカの作家であるトマス・ウルフは、『天使よ故郷を見よ』の第二部の冒頭でこの手法を用い、この小説の主な舞台となっているアルタモントの町の鳥瞰図を描き出している。

一方、ヴァージニア・ウルフは、『燈台へ』(一九二七)において、時間の同時化の手法により、複数の人物の同時的に進行する意識を示し、それにより心理的現実の多様性、複雑性を描き出す(また、この作品の第三章では、時間の同時化により、リリイの「内部」と「外部」は照応し、「外部」、つまり燈台へ向かうラムジイ氏ら一行の一見リアリスティックな光景は、リリイの心象風景へと変容し、象徴性を帯びる)。ハクスリーも、『対位法』(一九二八)で、時間の同時化により、複数の人物の多様な心理の複合体を読者に提示している。トマス・ウルフの『時と河について』のオリヴァー・ガントの死の場面では、この手法により、複数の人物(オリヴァーを含めて)の死にたいする心理が同時的に示されることで、この場面は劇的なものとなる。フォークナー文学において、時間の同時化の手法は、さらに自由に駆使される。たとえば、『八月の光』の冒頭部分、リーナ・グローヴが登場する場面では、フォークナーは、時間の同時化により、文学空間を立体化し、多面的なリーナ像を描き出すことに見事に成功している。『野生の棕櫚』（一九三九）では、「野生の棕櫚」と「オールド・マン」という一見何のつながりもない二つの物語を同時に進行させることで、その主題上のつながりを読者に示している。また、フォークナーに強い影響を受けたリルトル、バルガス＝リョサ（一九三六― 　ペルーの小説家。現代ラテンアメリカ文学を代表する存在）は、それぞれ、『自由への道』（一九四五―四九）、『緑の家』（一九六六）において、複数の物語を同時に進行させている。その他、わが国の福永武彦は、『風土』（一九五二。完全版は、一九五七）において、時間の同時化によって、大人の愛と子供の愛を対位法的に描き出している。

非均質化

物語の非均質化を最初に小説の方法的支柱とした作家は、フィールディング（一七〇七―五四。イギリスの小説家。イギリス小説の礎を築いた一人）である。彼は、『トム・ジョーンズ』（一七四九）の第二巻、第一章で次のように記している。

……何にもあれ異常な事件がもちあがる時（そういうことはしばしばあるつもりだが）、我らは労も紙も惜しまずに委曲を展開してお目にかけよう。が幾年という年月が格別注目に値することもなく過ぎるならば、我らは物語に空隙のできることを怖れずに次の重要事件へといそぎ、そのような期間をまったく捨ててかえりみないであろう。
（朱牟田夏雄訳）

『トム・ジョーンズ』は、このように明言されている時間の非均質化の手法を実践した作品である。そのことを読者に伝えるため、フィールディングはこの作品の目次において、各章ごとに物語の要する時間を記している。

十九世紀になると、フィールディングが自作において実践した時間の非均質化の手法――「異常な事件」、「重要事件」に物語の時間を多く費やすという手法――は一般化する。バルザック、スタンダール、トルストイは、事件の重要度に応じて物語的時間を非均質化している代表的作家である（たとえば、トルストイは『戦争と平和』（一八六三―六九）において、ボロジノの会戦という、たった一日の出来事であるがきわめて「重要な事件」には、非常に多くの「労」と「紙」を費やしている）。また、ドストエフスキーの作品における時間の非均質性は、人物の心理的密度にかかわる。人物の心理が密になるところでは、物語の時間もスローモーションビデオのように引き伸ばされる（『悪霊』〔一八七二〕のキリーロフが自殺する場面――ピョートルが自殺寸前のキリーロフを、顕微鏡的正確さをもってみつめる場面――にそれは顕著である）。

しかし、出来事の重要性、人物の心理的密度ゆえに物語の時間が非均質化されるばかりではない。時間の流れそのものを読者に印象づけるために、物語の時間が非均質化される小説もある。ツルゲーネフの『はつ恋』（一八六〇）、フローベールの『感情教育』（一八六九）はその代表的な例である。前者においては、小説のほとんどの部分が、主人公である「わたし」の一月ほどの初恋の物語をあつかっているが、ごく終わりに近い部分で、四年の歳月の経過がたった一行で語られることにより、時間があっという間に過ぎ去る感を読者に与える。また、『感情教育』においても、終わり近く、「彼は旅に出た」に始まる数行の文章で十数年の時間の経過が記されるため、読者は、時の流れの速さをそこに感じとるのである。

二十世紀の小説家は、時間の非均質化の手法を、以前の作家よりも意識的に用いている。彼らは物語の時間を極端に非均質化する。その典型がトーマス・マンの『魔の山』（一九二四）である。この作品においては、ハンス・カストルプの生きる内的時間の密度が、そのまま物語の時間の密度ともなっている。たとえば、ハンス・カストルプはベルクホーフにやって来てから数週間たつと、しだいに時間がより速く過ぎ去るように感じるのであるが、それと歩調を合わせるように、物語の時間のテンポも速くなるのである（この小説において、ハンス・カストルプがベルクホーフで過ごす最初の三週間の物語と、それに続く約十ヶ月の物語には、ほぼ同じ紙数が費やされている）。また、ヴァージニア・ウルフの『燈台へ』においては、たった一日のことを記した第一章「窓」の方が、十年間の時の流れを記す第二章「時は過ぎゆく」よりもはるかに長い（Grafton 版でいうと、第一章には一〇六ページも費やされているのに、第二章にはたった十七ページしか費やされていない）。このような時間の非均質化によって、十年の月日がまたたく間に過ぎてゆく様を、いかに鈍感な読者でも感じざるを得ない。ジュリアン・グリーンの『ヴァルーナ』（一九四〇）の第一の物語である「ホエル」においても、時間の非均質化は極端である。そこでは、ホエルが子供から大人になるまでをわずか一行（「時が流れホエルは一人前の男になった。」行数はPoints版による）、青年から中年になるまでの二十年以上の歳月の経過をわずか二行（「そして、彼が悲しみを知ることなしに、二十年以上の年月が過ぎ去った。」）で語られているため、時の経過の速さ、時のもたらす変化は、いやがおうにも読者に印象づけられる。

フォークナーの作品では、時間の非均質化の手法はいっそう明白である。物語の時間は伸縮自在である。『八月の光』、『アブサロム、アブサロム！』（一九三六）にそれは顕著であり、これら二作品では、複線化した物語の時間のそれぞれが、速度を早めたり、遅くしたりする。たとえば、『八月の光』において、クリスマスが養父マッキーチャンを殺した十八才から、ミス・バーデンに会うまでの十五年間は、わずか二ページ半（Vintage版による）で語られ、一方、第二十章、死ぬ直前のハイタワーの回想の場面は、夕暮れの数時間（推定）のことを扱っているのに、二十七ページも費やされている。この時間の非均質化の手法ゆえに、これら二作品では、時の流れ、あるいはよどみが表現されており、また、劇的緊張は高まったり、やわらいだりする。現代ラテンアメリカ文学においても、アストゥリアス（一八九九―一九七四。グアテマラの小説家。カルペンティエルと並び、魔術的リアリズムの先駆的存在。代表作に、『グアテマラ伝説集』、『大統領閣下』、『緑の法王』などがある）、ガルシア＝マルケスなど多くの作家がこの手法を用いているが、中でもカルペンティエルは、この手法を巧みに使いこなしている。たとえば、彼は『バロック協奏曲』（一九七四）において、物語のテンポを徐々に早めることで小説を音楽化することに成功している。そして晩年の傑作『ハープと影』（一九七九）においては、四十年のことを語る「ハープ」と「影」という二つの章よりも、たった一日にも満たぬコロンブスの死の床での回想をあつかう「手」という章に多くの紙数を費やしている。

往復自在化（可逆化）

物語の時間の往復自在化という手法を考える際に、だれしも思い浮かべる作品といえば、スターンの『トリストラム・シャンディ』（一七六〇―六七）であろう。この作品くらい直線的な語りと縁遠い作品はない。物語の時間はいたるところで「脱線」し、自由自在に順行と逆行を繰り返す。語り手自身も、作品の随所で、この作品の物語の往復自在な時間について言及している（たとえば、第五巻、第二十五章）。

しかしながら、十九世紀の作家は、スターンの開拓した時間の往復自在化の手法を積極的に用いることはなかった。ほとんどの十九世紀小説において、出来事は歴史的時間の軸に沿って語られている。が、ある作品においては、歴史的時間に沿う物語の基本的な枠組の中での時間の逆行は許されている。たとえば、バルザックの作品群においては、物語の随所で、人物の過去を語るために時間が逆行させられている（『従妹ベット』（一八四七）の第三章で、時間をもどしてユロ夫人の過去が語られるのもその一例である）。ブロンテの『嵐が丘』（一八四七）、ホーソンの『七破風の屋敷』（一八五一）、メーリケ（一八〇四―七五。ドイツの詩人、小説家）の『画家ノルテン』（一八三二)、ドストエフスキーの『悪霊』においても、歴史的時間軸に沿った物語の内に、複数の語りが挿入されることにより、物語の時間はしばしば逆行している(例として、ヒースクリフのもとから逃げてきたイザベラの語る物語(『嵐が丘』)、アリス・ピンチョンの物語(『七破風の屋敷』)、俳優ラルケンスの手記を通じて示されるノルテンの少年時代の物語(『画家ノルテン』)、スタヴローギンの告白(『悪霊』)、がある)。その他、トルストイの『戦争と平和』では、同時的に進行している物語を示すために、しばしば時間は逆行させられる(たとえば、第三巻の後半では、八月二十六日のボロジノの会戦のことが記され、それに続いてピエールを中心とした物語が九月三日まで語られているが、第四巻のはじめでは、時間は逆行して、ボロジノの会戦と同時的に進行していたアンナ邸における夜会の様子が記される)。

二十世紀の作家たちの多くは、物語の時間を、歴史的時間の支配下から解放しようとする。因果律という思想、歴史の進歩という観念を信頼できなくなり、一方で心理的時間の可逆性を見出し、同時に己の文学的世界の多様化をめざした二十世紀の作家の多くが、直線的で不可逆な時間に反逆し、時間を自由自在に逆行させたり順行させたりする。作家たちは、スターンの開拓した時間の往復化という手法を、百年以上たって、ようやく〈方法〉として再認識したと言っていいだろう。

その先頭を切ったのが、コンラッドである。彼は、特に『ノストローモ』において物語の時間を往復自在化している。たとえば、その第一部「鉱山の銀」の第二章以降の時間構造を図示すると次のようになる。

第二章～第四章［スラコにおける暴動］――（一年半逆行）→第五章［国営鉄道の敷設事業を祝う催し］――（逆行）→第六章［チャールズ・グールド、グールド夫人の過去（たとえば、二人のイタリアにおける出会い、グールドの父）とサントメ鉱山の歴史］――（順行）→第七章、第八章［第六章に続くグールド夫妻の物語、鉱山の発展の歴史］――（順行）→第八章の終わり［国営鉄道の敷設事業を祝う催し（第五章と同じ）］

この作品では、時間のこのような逆行と順行によって、スラコの歴史の、そしてスラコにかかわる人物の全体像がしだいに形成されてゆくのである。

コンラッドが二十世紀において甦らせた時間の往復自在化の手法、それを、フォークナーはほぼ全作品において用いている。彼は、物語の時間を自由自在に往復化することにより、人物が「現在」において生きる「過去」（それは個人的なものであると同時に共同体の過去でもある）、「現在」に持続する「過去」を提示している。そうすることで、物語の世界をかぎりなく重層化してゆくのである。また、ある瞬間を、時間の往復により、「過去」の圧縮された劇的な瞬間と化している。この時間の往復自在化の手法は、『八月の光』や『アブサロム、アブサロム！』等において特に顕著であるが、ここでは、『八月の光』を例にとって、この手法を少しくわしく見てみよう。

『八月の光』において、作者は、「現在」の物語——八月のある金曜日から翌々週の月曜日までの十一日間を扱った物語（そのほとんどは現在時制で語られる）——を幾度も中断して、物語の網を「過去」に向けて（近くは数分前、遠くは三十年以上も前の「過去」へ向けて）投げかける。そして、その投げた網を、時にはゆっくりと、またある時にはすばやく、「現在」の地点へたぐり寄せる。このような時間の往復を繰り返すことにより、次々に「現在」を終点とする物語が生み出されてゆき、「現在」において人物同士の間に起こっているドラマよりはるかに複雑な、人物の「過去」の内的ドラマ、「現在」にまで持続する内的ドラマが明かされてゆく。それにより、「現在」は「過去」の圧縮された劇的な瞬間と化すのである。たとえば、クリスマスのミス・バーデン殺しも、クリスマスの「過去」に始まる内的ドラマゆえに、いっそうの悲劇性を帯びるのである。

また、『八月の光』においては、「現在」という終点へ向けてたぐり寄せられる「過去」の物語自体が、さらに往復自在な運動を行う。その一例として、第八章をとりあげてみよう。その時間構造を簡単に記せば、次のようになる。

①［給仕女に会いに行くため、マッキーチャンの家を脱け出すクリスマス（十八才）］——（逆行、一年半）→②［クリスマスが給仕女に出会ったいきさつ（十七才）］——（順行）→③［給仕女との情事（約七ヶ月）］——（逆行）→④［三、四年前、クリスマス十四〜十五才の頃の物語］——（順行）→⑤［ふたたび③に続く給仕女との情事——（順行）→第八章の終わりまで］

第八章の終わりは、すぐに第九章につながっていない。そこは、前の第七章の終わり、［クリスマスがマッキーチャンに与えられた仔牛を売ったことを、マッキーチャンが発見する場面」へとつながる。この場面のすこしあと、同じ日の夜のことが、右の図解で言う①になるのである。そして①は、次の第九章のはじめ、「マッキーチャンを描いた場面」と同時的な場面なのである。このめくるめく時間の往復は、ここだけでなく、この作品のいたるところに見出される。

フォークナーを経由することによって、時間の往復自在化という手法は「市民権」を得たといってよい。フォークナー以後の作家にとって、この手法は小説書法における常識となる。たとえば、フォークナーに圧倒的影響を受けたロバート・ペン・ウォーレン（一九〇五—八九。アメリカの詩人、小説家、批評家）は、間接的な父殺しの物語である『すべての王の臣』（一九四六）でこの手法を取り入れている。とりわけ、ウォーレンは、時間の往復により、「現在」と「過去」の相違を示そうとする。冷酷無情なウィーリー・スタークの「現在」の姿が、時間の逆行によって、純情無垢な彼の「過去」の姿ときわだった対照をなすのはその一例である。また、現代ラテンアメリカ作家の多くが、そして日本の戦後作家のいく人かが、物語の時間を往復自在化し、重層的な物語世界を築こうとしている。ガルシア＝マルケスの『族長の秋』（一九七五）、カルペンティエルの『ハープと影』、大江健三郎の『同時代ゲーム』(一九七九)、中上健次の『千年の愉楽』(一九八二)はその代表的な例である。

不連続化

物語の時間を同時化したり、逆行させたりする際、物語の時間の直線的な連続した流れは中断される。その意味では、筆者はすでに物語の時間の不連続性について語ってきたことになる。たとえば、すでに言及した『オリヴァー・トゥイスト』においては、時間を同時化し、逆行させるために、物語の連続した流れはしばしば中断される(第二十二章で、オリヴァーがピストルで撃たれた場面はいったん中断され、その続きが、第二十八章のはじめにくるのはその一例)。二十世紀小説においても、ますます、時間を逆行させたり同時化するために、時間を不連続化するという現象が見られるようになる。コンラッド、フォークナー、マルケスの諸作品にそれは顕著である(たとえばコンラッドの『ノストローモ』において、スラコの暴動の場面と、時間を逆行させて次に記される祝典の場面は、時間的に不連続である)。

しかしながら、二十世紀の作家は、時間を同時化し、逆行させるために物語の時間を不連続にするだけではない。二十世紀になると、読者を創造行為に参加させるために、物語の時間をあえて不連続にする作品が書かれるようになる。時間の不連続性を〈方法〉として強く意識する作品が書かれるようになる。そのような作品の一つとして、ハクスリーの『ガザに盲いて』（一九三六）があげられる。この作品では、作者は物語の時間をばらばらにし、不連続にし、我々読者に、連続性付与の仕事を委ねている。すなわち、読者はこの作品において作者でもあるのだ。レクチュール＝エクリチュールなのである。第一部で、筆者は、アントニーとブライアンの関係を軸としてこの作品を読んで（＝書いて）みたが、読者（＝作者）は、この作品をアントニーとヘレンの関係を軸として読んで（＝書いて）みてもいっこうかまわないのであり、読者（＝作者）のさまざまな複数の「解釈」（＝「作品」）のつくり出す網の目が、この小説の総体を形作るのである。

『ガザに盲いて』のように、読者による再構成を求めるがゆえに、あらかじめ物語の時間を不連続にする作品は、ジョセフ・ヘラーの『キャッチ＝22』、コルタサルの『石蹴り遊び』、サングィネーティの『イタリア綺想曲』（一九六三）他、一九六〇年代以降に多く書かれるようになる。福永武彦の『死の島』（一九七一）も、これら一連の作品につらなるものであろう。この作品では、萠木素子と相見綾子という性格的に正反対の（しかしながら、深い精神的な傷を負っている点で双子のように似かよっている）二人の女性（また、この二人は同性愛の傾向が強い）の服毒自殺の謎にたいして、読者は、不連続に並べられた断片的な物語――もう一人の主要人物である相馬鼎とこの二人の女性に関係する「過去の物語」（三百日前から一日前までにわたる）、萠木素子の、原爆投下後の広島の記憶心像を示す「内部」と題された断章、相馬が二人の女性をモデルとして書いた「小説」――を時間的に秩序づけ、それらに因果性を与えることによって、めいめいの「読み」＝「解釈」をほどこすことが可能である。これら、レクチュール＝エクリチュールであるような作品、〈作者の死〉の擬態のもとに読者に向けて開かれている作品は、おそらく、今後も書かれ続けるであろう。

＊

以上、二十世紀小説において特に顕著になった四つの手法をとりあげ、二十世紀小説における〈物語の時間〉の処理について述べてきた。筆者は、論を一般化するために、便宜上、四つの手法に分けて論述してきたが、事実は、この四つの手法のいくつかが、同一作品の内に見出されるのであり、複数の手法がからみあうことにより、複雑で多様な文学的世界が生み出されているのである。フォークナーの『八月の光』はその一例であり、物語の時間は、同時化され、非均質化され、往復自在であり、不連続である。

が、これまでの論述において、筆者は、二十世紀小説の〈時間〉処理の半面に光を当てただけにすぎない。〈物語の時間〉の処理と同様に、いやさらに重要な面である、〈人物の生きる内的時間〉の処理についてまだ触れていないからである。そこで、次章では、この二十世紀小説における〈人物の生きる内的時間〉について考察してみたい。その際、〈物語の時間〉の処理についても、〈内的時間〉との関係で、再び言及するつもりである。

第三章　人物の生きる内的時間

個我にたいする意識が強まるにつれ、作家は外的時間（自然的、歴史的、計量的時間）とは別に、個我に固有な内的時間を意識するようになる。すると、小説における時間は二重性を有するようになる。物語の時間と人物の生きる内的時間との間に「ずれ」が生じ、人物の内的時間が強調されてくるのである。

この二つの時間の「ずれ」は、十九世紀後半の小説においてしばしば見られるようになる（このことは、サイードが『始まりの諸相』（一九七五）のなかですでに言及している）。作家が社会にたいする疎外感、社会とは相容れぬ自己にたいする意識を強く示したいくつかの小説――特に幻滅小説――において顕在化する。ツルゲーネフの『はつ恋』、ジョージ・エリオット（一八一九―八〇。イギリスの小説家。代表作に『ミドルマーチ』などがある）の『フロス河畔の水車場』（一八六〇）、ディケンズの『大いなる遺産』（一八六〇―六一）、フローベールの『感情教育』、ヘンリー・ジェイムズの『ある婦人の肖像』（一八八一）、ペイター（一八三九―九四。イギリスの小説家、批評家。唯美主義者であり、代表作に『ルネサンス』がある）の『享楽主義者マリウス』（一八八五）などは、そのような「ずれ」が生じている例である。たとえば、『はつ恋』の第二十二章、主人公である「わたし」が初恋の人ジナイーダの死を聞かされる場面では、「わたし」の意識は、無意志的記憶により、物語の時間の流れに逆らって過去へと向かっている。『フロス河畔の水車場』においては、主人公のマギー・タリヴァーは、作品の随所で、書物や、水車場という空間、などを媒介として過去を想起している（ついでに言っておくと、この小説はプルーストに多大な影響を与えたという〔プルーストは、そのことをロベール・ドゥ・ビリィ宛の書簡で言っている〕）。また、『大いなる遺産』のエピローグである第五十九章、十数年の歳月をへだてて、ピップがエステラと、今は廃墟となったミス・ハヴィシャムの屋敷で再会する場面で、ピップは、「現在」を意識の中で「過去」と重ね合わせ、物語の時間とは別の己の内的時間を生きている。フローベールの『感情教育』の最終ページでは、人物の生きる時間が、物語のはじまる前（フレデリックとデローリエがある売春宿を訪れる時点）へと遡行するという「はなれ業」が見出される。このような二つの時間の「ずれ」は、『ある婦人の肖像』と『享楽主義者マリウス』において、いっそう目立ってくる。二つの時間は、これらの作品では乖離している。前者における、第四章のイザベラ・アーチャーの回想（イザベラの父、姉、そしてイザベラ自身の子供時代のことが中心となっている）、第四十二章のイザベラの内的独白（イザベラはそこでさまざまな過去——恋愛、結婚、その破綻など——を思いおこしている）、そして後者の第二十七章「マルクス・アウレリウスの凱旋式」における、のちのプルーストの「心情の間歇」の場面を予示する、マリウスの帰郷の場面（そこで、マリウスは、今は死者となったさまざまな人物を思いだし、過去の時間を生きている）などはその顕著な例である。

このように、十九世紀後半のいくつかの小説において、物語の時間から遊離した〈人物の生きる内的時間〉は、二十世紀小説において、いっそう強調され、明瞭になる。それは、物語の時間と拮抗し、場合によっては、物語の時間にたいして優位を主張し、物語の時間を従属させる。が、二十世紀小説においては、単に〈人物の生きる内的時間〉の存在が明示されるだけでない。それは、物語の時間に劣らず重要な時間処理の対象となってくる。それでは、二十世紀小説において、〈人物の生きる内的時間〉はどのように処理されているか。この問にたいし、以下、筆者なりの答え（事実は、「答え」といった明確なものではなく、「覚え書」程度のものにすぎないが）を示してみたい。

二十世紀の小説家は、〈人物の生きる内的時間〉を可能なかぎり複雑化し、多様化している。彼らは、それを往復自在なものとし、重層的に、非連続的にしている。例として、ジョイスの『ユリシーズ』をあげよう。この作品においては、瞬間ごとに生起する人物の意識は、時計の刻む外的時間の進行とは関係なく、未来へ、あるいは過去へと自由自在に運動している。また、人物の意識の中で、記憶によってよび起こされた過去は現在と重ね合わせられ、一方、人物の意識の流れは、過去の記憶心像によって、もしくは、現在の知覚対象、またそれとの連想で生じる幻想、思念によって絶えず中断されている。『ユリシーズ』の圧倒的な影響のもとに書かれた、ヴァージニア・ウルフの『ダロウェイ夫人』（一九二五）においても、人物の意識は過去と未来を往復し、時折、その流れは中断され、同時に、人物の意識の内で過去と現在は重ね合わされている〈この過去と現在の共存については、ピーターとクラリッサを主な対象として、第一部ですでにくわしく述べた〉。同じくウルフの『燈台へ』においても、〈人物の生きる内的時間〉は自由自在に運動している（たとえば、第三章「燈台」では、リリイの意識は、過去におけるラムジイ夫人の記憶心像と、現在、燈台へ向かうラムジイ氏ら一行という知覚対象の間を自由に往復する）。フランソワ・モーリヤック（一八八五―一九七〇。フランスの〔カトリック〕小説家）の『テレーズ・デスケルウ』（一九二七）は、右にあげた二人の作家の作品ほど実験的ではないが、人物の内的独白において、人物の意識は、現在と過去を往き来している。その内的時間の動きによって生み出される内的ドラマのはげしさが、この小説を劇的なものにしている。

しかしながら、二十世紀小説において、内的時間の複雑性と多様性は、人物の心理のレベルにおいて示されるばかりではない。それは、ある作品においては、物語のレベルにおいても示されるのである。つまり、物語の構造そのものが、人物の内的時間意識の複雑性と多様性を示す作品が書かれるようになるのである。物語の時間に従属していた内的時間は反旗をひるがえすのであり、物語の時間は内的時間に「乗っ取られる」のだ。トーマス・マンの『魔の山』、フォークナーの『響きと怒り』（一九二九）（特に「クェンティンの章」）、『アブサロム、アブサロム！』は、その最も顕著な例である。今までいく度も（第一部の論考を含め）筆者が言及してきたように、『魔の山』において、ハンス・カストルプの生きる内的時間のテンポは、物語の時間のテンポそのものによって提示されている。後の二作では、物語の時間の重層性、不連続性、往復自在性そのものが、〈人物の生きる内的時間〉の重層性、不連続性、往復自在性を構造的に明示している。

が、それればかりではない。二十世紀の多くの小説において、内的時間の複雑性、多様性は、人物の心理構造、物語の構造によってばかりでなく、言語のかたち、組み合わせ、配列の仕方によって、すなわち、文体そのものによって提示されている。では、二十世紀小説において、〈人物の生きる内的時間〉の複雑性、多様性は、どのような文体によって提示されているのか。この問に十分に答えるには、個々の作家について、個別に検討してゆく必要がある。なぜなら、一人一人の作家が、人物のさまざまな内的時間をさまざまな文体で表出しようとしているからである。が、それは、筆者が今書いている巨視的な時間論的文学論の扱うことのできる範囲を超えている。一人の作家を、いや、そのある一つの作品について考察するだけでも、優に一つの独立した論文を必要とするだろう。そこで、筆者は、以下の考察では、二十世紀小説においてしばしば文体そのもので表出される内的時間の三つの相——同時性、重層性、非連続性——を主としてとりあげ、それを提示する文体の例をいくつか引用し、それに簡単な分析を加えるにとどめたい。

同時性

まず例として、プルーストの『失われた時を求めて』の書き出しから二つめのパラグラフの冒頭の文章を引用してみよう（原文の引用は、Folio Classique [Gallimard, 一九八七] に拠る）。

Je me rendormais, et parfois je n'avais plus que de courts réveils d'un instant, le temps d'entendre les craquements organiques des boiseries, d'ouvrir les yeux pour fixer le kaléidoscope de l'obscurité, de goûter grâce à une lueur momentanée de conscience le sommeil où étaient plongés les meubles, la chambre, le tout dont je n'étais qu'une petite partie et à l'insensibilité duquel je retrournais vite m'unir.

わたしはふたたび眠ってしまう、もうそれからは、ときどき眼がさめることがあっても、ほんの短いあいだだけで、羽目板の干割れの音を聞いたり、眼をあけ闇の万華鏡を見つめたり、すべてのものの陥っている眠りを、意識にさす瞬間的な光で味わったりするような、ごくわずかなあいだにすぎず、家具だとか部屋とか、その他いろんなもの、私もまたその一部分なのであるが、そうしたすべてのものの陥っている眠りの無感覚に、すぐに融けこんでしまう。（井上究一郎訳）

この引用文では、「私」の内的時間意識の同時性が、文体そのものによって提示されている。三つの動詞（'entendre', 'ouvrir', 'goûter'）を同一文中におき、しかもそれらを不定詞にして、共に'le temps'の一語へ結びつけるという文構造によって、ほんの一瞬間の覚醒における「私」の同時的な感覚（プルーストが「コンブレ」Ⅱで用いている言葉でいうなら「私の意識の中に同時的に並置された状態」〔'les états simultanément juxtaposés dans ma conscience'〕）が表現されている。そして、眠りから覚醒へ、覚醒から眠りへと移りゆく様は、文中に二つの'et'を挿入することで示されているが、二つの'et'の間の語句をカンマで結びつけることによって、覚醒における時の推移を読者に感じさせず、それゆえに、諸感覚が同時的に作用している様がいっそう読者に印象づけられるのである。

また、トマス・ウルフの『天使よ故郷を見よ』における次の一節（幼児のユージーン・ガントが寝台から身を乗り出した際に彼の目にうつった光景を描いた箇所）においても、人物の内的時間意識の同時性は、文体そのもので表現されている（原文はScribner版〔一九二九〕に拠る）。

……the world swam in and out of his mind like a tide, now printing its whole sharp picture for an instant, again ebbing out dimly and sleepily, while he pierced the puzzle of sensation together bit by bit, seeing only the dancing fire-sheen on the poker, hearing then the elfin clucking of the sun-warm hens, somewhere beyond in a distant and enchanted world.

……世界は、彼の心に潮のように流れ入り、またそこから流れ出し、一瞬そのはっきりした輪郭をもった模様は心に印象づけられるが早いか、ふたたび曖昧になり、ぼうっとして消えてゆき、一方、彼は感覚の織りなす謎模様を少しずつ継ぎ合わせてゆき、同時に火掻き棒にうつって踊る火のみ見ていたが、その時、どこか遠くに、はるかなる魅惑的な国で、日にあたたまる雄鶏が小妖精のようにくっくうと笑っているのを聞いた。

この文章においては、'while'という時間の同時性を表す接続詞の使用、そして分詞構文の使用によって、ユージーンという主体における知覚上の同時性が文体的に示されている。

「意識の中に同時的に並置された状態」の文構造による提示、それは、ブロッホの『ウェルギリウスの死』（一九四五）において、極限までおし進められている。この作においては、ブロッホは、ピリオドをほとんど使用しない文によって、また、形容詞、分詞、分詞構文、関係詞、比喩表現（例えば'wie〜'）の多用によって、死を迎えようとするウェルギリウスの意識の内に生じた、複雑で多様な感覚、観念、イメージ、の同時性を表現している。

重層性

二十世紀小説においては、内的時間の同時性ばかりでなく、その重層性も文構造自体で提示されることがある。例として、ふたたびプルーストを引用しよう。次の一節は、さきほど引用した箇所の少し後、小説の書き出しから数えて第六パラグラフ目に見出されるものである。

……et mon corps, le côté sur lequel je reposais, gardiens fidèles d’un passé que mon esprit n’aurait jamais dû oublier, me rappelaien la flamme de la veilleuse de verre de Bohême, en forme d’urne, suspendue au plafond par des chaînettes, la cheminée en marbre de Sienne, dans ma chamber à coucher de Combray, chez mes grands-parents, en des jours lointains qu’en ce moment je me figurais actuels sans me le représenter exactement, et que je reverrais mieux tout à l’heure quand je serais tout à fait éveillé.

私の肉体、下にして寝た脇腹は、私の精神のけっして忘れはしない過去、そうしたある過去を忠実にかくまっていて、天井から鎖でつるされている骨壺型のボヘミアン・グラスの有明のランプの焔とか、シエナ大理石の暖炉とかを思い出させるのであって、それはコンブレの私の寝室、祖父母の家での遠い昔の日々なのだが、正確に思い浮かべられなくて、私にはなんだか現在のことのように想像される、だが、やがてすっかり目がさめたら、もっとはっきりわかってくるだろう。

この引用では、一つの文の中で多数の時制（現在、半過去、未来、前未来）が使用されることにより、「私」の内において、過去への意識、現在への意識、未来への意識が重層的に存在しているということ、意識の中で、現在は過去と、あるいは未来と持続しているということが、示されている。この内的時間意識の重層性は、「コンブレ」Iの終わり、有名な「マドレーヌ体験」を記した箇所では、より複雑な時制構造によって文体的に提示されている（「コンブレ」Iの最後のパラグラフでは、前過去、単純過去、直説法半過去、接続法半過去、大過去、など多くの過去時制が用いられ、「私」の内的時間意識が重層化されていることが示される）。

フォークナーは、『響きと怒り』の「クェンティンの章」において、時制構造の複雑化によってではなく、文の中へ文（会話も含める）、あるいは文のかけらを挿入し、埋め込むことによって内的時間の重層性を示している。『アブサロム、アブサロム！』では、このような挿入、埋め込みに加え、（　）や―などの記号の多用により、人物の内的時間意識の重層性、というよりも迷宮性を表現している。

また、プルーストの『失われた時を求めて』の強い影響のもとに書かれた、ビュトール（一九二六ー二〇一六。フランスの小説家。ヌーヴォー・ロマンを代表する作家の一人）の『時間割』（一九五六）においては、「僕」＝ジャック・ルヴェルの内的時間意識の重層性は、プルーストをおもわせる複雑な時制構造、時をあらわす副詞の多用、によって文体的に表出されている。

非連続性

三つ目の相、つまり内的時間の非連続性は、ジョイスの『ユリシーズ』で見事に言語化されている。プルーストの持続体と対照をなす、短い文の羅列、あるいは、語句の羅列、becauseなど因果性を示す言葉の除去、前の文とのつながりを示す指示語の省略、など、さまざまな文体上の工夫によって、人物の内的時間意識の非連続性が表現されている。また、ジョイスは、それを、おもに人物が「現在」において知覚し、想起し、思い描いていることを表現するという文体上の実験により、さらにわれわれに印象づける。たとえば、第四挿話「カリュプソー」でブルームが外出する場面（原文の引用は、Penguin Classics版〔二〇〇〇〕に拠る)。

On the doorstep he felt in his pocket for the latchkey. Not there. In the trousers I left off. Must get it. Potato I have.

戸口の石段の上で彼は尻のポケットに手を入れて鍵をさぐった。ここではない。ぬいだズボンのなか。取って来なくては。じゃがいもはある。

(丸谷才一/永川玲二/高松雄一訳)

(「じゃがいもはある」という文にかんして、集英社版では、次のような訳注が付せられている。「広く信じられている迷信に、リューマチを治す最上の方法は上着かズボンのポケットにじゃがいもを入れて持ち歩くこと、というのがある。ただし、新じゃがを黒くかつ木のように固くなるまで取って置いたものに限る。このじゃがいもはブルームの母親の形見。」)

二番目の文では、ブルームの意識の「現在」において、探しているものが鍵であるかどうかということよりも、それがポケットにあるかどうかということが関心事であるがゆえに、'it'という指示語は不要なのである。また、四番目の文においては、「現在」ブルームの意識の中心を占めているのは、鍵を取りに行くという行為、取って来なくてはならないという義務感であるゆえ、'I'は不要なのだ。最後の文で、ジョイスが'I have potato'と書かないのは、ブルームの意識の「現在」において、まず'potato'の映像が先に意識に入りこんでくる様を表現しようとするからである。

ジョイスによって試みられた、内的時間の非連続性の言語化。それは、サルトルの『嘔吐』(一九三八)において徹底化される。ある月曜日のこと、ロカンタンがロルボン氏についての書物を書くことを放棄しようと決心した日、彼が経験する「嘔吐」を記した次の一節にそれは顕著だ(原文の引用は、プレイヤード叢書〔Gallimard, 一九八一〕に拠る)。

……j'ai mal à la main coupée, existe, existe, existe. Le beau monsieur existe

Légion d'honneur, existe moustache, c'est tout;

切った手が痛い。存在する、存在する、存在する。立派な紳士、レジョン・ドヌール勲章が存在する、口ひげが存在する。それだけだ。（白井浩司訳）

この引用では、'existe' という語の羅列が、ロカンタンの内的時間の非連続性を文体的に示している。また、右の引用の少しあとには、次のような一節が見出される。

j'ai froid, je fais un pas, j'ai froid, un pas, je tourne à gauche, ...

寒い、私は一歩進む、寒い、また一歩、左に曲る、……。

ここでは、短文の羅列が非連続的な内的時間を示す。しかも、動詞がすべて現在形で記されることにより、人物の意識が「現在」にのみ向けられていることが表現されている。また、ジョイス、サルトルの他、ベケット（一九〇六―八九。アイルランド生まれの劇作家、小説家。不条理演劇を代表する存在であり、英語とフランス語で作品を発表した）も、内的時間の非連続性を言語化した作家の一人である。なかでも、『モロイ』（一九五一）は、その顕著な例である。

第四章　具体的な作品に即して

前の二章で、筆者は、二十世紀の小説における時間処理について、いくつかの特徴を指摘してきた。が、それによって二十世紀小説の時間処理の多様性と複雑性が十分に明らかになったとは到底言いがたい。そこで、この不十分さを補うため、また、今までわたしが述べてきたことを例証し、敷衍するために、この章においては、時間処理という観点から見てきわめて二十世紀的な小説を四つとりあげて、簡単な分析を加えてみたい。

ハクスリー『対位法』

人間関係の乱数表、あるいは、恋愛のエンサイクロペディアとでも言うべきハクスリーの『対位法』は、きわめて複雑な、多面体的構造を有した作品であるが、いま、時間構造という一つの側面にのみ光を当てるなら、この作品を成り立たせている二様の時間が明らかになってくる。二様の時間とは、第一に、物語の「現在」の時間であり、第二に、作者が物語の随所で「現在」の時間を中断して語る、人物の「過去」の物語の時間である。

第一の「現在」の時間であるが、これは、複線化されており、また非連続的で非均質的である。

ハクスリーは、人物の物語を可能なかぎり複線化することにより、この小説を可能なかぎり立体化し、また、できるかぎり多くの人間関係（その多くは恋愛関係）をつくり出しているが、その複線化した物語の時間は、ときには同時的に進行する。主要人物がほぼ出そろう第一章から第八章までを例にとってみよう。第二章の、ヒルダとジョン・ビドレイクが登場する場面と、続く第三章のエドワード・タンタマウントとイリッジを描いた場面は、同一の建物の内部で、同時的に起こっている事柄を示している。また、第五章の、ウォルターの愛人マジョーリーを描いた場面は、その前後に記されるヒルダとジョン・ビドレイクの場面と時間的に同時である。そして、そのヒルダとジョン・ビドレイクの場面と、第六章のはじめ、フィリップ・クォールズとその妻エリナーが登場する場面は、ロンドンとボンベイ（ムンバイ）という空間的にかなりへだたった二地点で同時に進行している場面である。また、第七章の終わり、ウォルターとルーシーの場面は、第八章のはじめ、ランピオン、メアリー、スパンドレルの登場場面と時間的に同時である。

このような、時間の複線化、同時化によって、この小説は多面体的構造を有するものになる。読者は、さまざまな人物の視点から同時に作品内の世界をとらえることができ、読者の内に結ばれる世界像は複雑化し、多様化する。

また、それぞれの人物の物語は、時間的に連続していない。それゆえ、読者がある人物を中心にこの小説を読もうとするなら、その人物が出てくる場面を拾い上げて、それを連続したものとする必要がある。この小説は、読者に作品の連続性の付与の仕事を委ねているのだ。その意味において、のちに書かれる『ガザに盲いて』を予告した作品と言えよう。

そして、この作品においては、物語の時間のテンポは急激に変化する。たとえば、タンタマウント邸の夜会と、その後の人物たちの行動を記した、第二章から第十二章では、夜の十時間足らずのことを記すのに、原書でいうと約五十五ページの紙数が費やされているのに対し、第十五章では、数週間の物語をわずか十二ページで記している（ページ数はChatto&Windus版による）。

この作品における第二の時間、つまり、人物の「過去」を語る時間は、二つのケースに分類される。一つは、作者が人物の「過去」を客観的に語る時間であり、もう一つは、作者が人物の視点を通してそれを語る時間である。

前者の例としては、第九章があげられる。そこでは、第八章に登場するラムピオン夫妻の愛の始まりが語られ、また、ラムピオンの反進化論的な原始主義の由来も語られる。第十八章、フィリップ・クォールズが、足の不自由のため陸に上がれない場面で、フィリップの足が不自由になったいきさつが語られるのもその一例である。ハクスリーは、この作品において、「現在」と関係がある「過去」を、その都度、「現在」の物語を中断して語ってゆくことにより、物語の世界を厚みのあるものにしてゆくのである。

後者の例としては、無意志的記憶によって、「過去」が人物の「現在」の内へ侵入してくる様を描いたいくつかの場面があげられる。たとえば、第一章においては、ウォルターの「現在」の息苦しいほどの不快感が、無意志的記憶によって「現在」に侵入してくる記憶心像ゆえにいっそう強まる様子が描かれている。作者は、このように、無意志的記憶ゆえによみがえる人物の「過去」を示すことによって、人物の内的時間意識の重層性を示しているのである。次節では、フォークナーの『響きと怒り』の「クェンティンの章」を対象にして、この人物の内的時間意識の重層性について、少し詳しく論じてみようと思う。

フォークナー『響きと怒り』――「クェンティンの章」――

筆者は、本書の第一部で、すでにクェンティンの内的時間意識の心理学的考察を行った。そこでは、クェンティンの内的時間意識の無秩序な様相について、次のように述べた。

……現在における連想作用によって過去が喚起され、また、現在と何の関係性も有していない過去が現在に侵入し、あるいは、現在に侵入してきた過去が別の過去をよび起こす、といったクェンティンのはげしい心的な往復運動のなかで、過去と現在は無秩序に混じりあう。章の終わりに近づくにつれ、クェンティンは、ついには現在の知覚対象を己の記憶心像と混同するようになる。

このように書いておきながら、筆者は、クェンティンの内的時間意識の無秩序な様相が（右の引用文中の言葉を用いるなら、クェンティンのはげしい心的な往復運動が）、この作品においていかなる文体によって表現されているかについてほとんど論じなかった。が、「クェンティンの章」においては、文体＝意識なのであり、文体論的考察なくしては、クェンティンの内的時間意識は十分に明らかにされないはずである。そこで、この節では、「クェンティンの章」において内的時間がどのような文体によって示されているかということについて、特に言語の視覚的効果を中心に考察してみたい。

まず、現在における会話文には引用符をつけ、過去における会話文には引用符を付けていないという文体的特徴があげられる。引用符をつけないことにより、会話から音声が剝奪された感を読者に与えるため、それがクェンティンの記憶の中に存在する言葉であるという印象を読者に与えるのだ。一例をあげるなら、それは、クェンティンがハーバートに出会った時のことを記した箇所に顕著である。また、引用符を取り去った会話文の多くが地の文と別々に記されず、文と文の間に置かれたり、地の文に埋め込まれることにより、人物の意識において、過去が現在と、あるいは他の過去と共存していることが文体的に提示されている（文の中に、会話文を埋め込むことによ り重層的な内的時間意識をつくり出すという手法は、フォークナー文学の多くの作品において見出される）。

地の文に埋め込まれるのは会話文ばかりでない。過去の会話の断片、過去の光景、イメージなどが埋め込まれるということがある。クェンティンが、ドールトン・エイムズが自分にピストルを手渡した時のことを思い出した箇所は、その一例である（原文の引用は、The Library of America 版〔二〇〇六〕に拠る）。

And when he put Dalton Ames. Dalton Ames. Dalton Ames. When he put the pistol in my hand……（P.937）

だからあいつが　ドールトン・エイムズ。ドールトン・エイムズ。ドールトン・エイムズ。あいつがピストルを僕の手の中に置いたとき、……

（平石貴樹／新納卓也訳）

ここでは、文体上の非連続性によって、クェンティンの意識が「過去」（に出会った人物＝ドールトン・エイムズ）に強迫観念のように取りつかれている様が表現されている。

文体上の非連続性によって、クェンティンの内的時間の往復運動を表す手法のうち、もっとも目を引くのが、ローマン体とイタリック体の交替、交錯である。クェンティンが川岸から、ボートを漕ぐジェラルドを見ている場面はその一例である。そこでは、ローマン体からイタリック体への移行により、クェンティンの「現在」の意識に侵入してくる「過去」（過去の会話の一部分）が示されている。

……as if the hull were winking itself along him along. <u>*Did you ever have a sister?*</u>（p.947）

まるでボート自身が彼と一緒にチカチカ進んでいくみたいだった。**あなたは妹を持ったことがありますか。**（以下、イタリック体には下線を引くことにする）。

ローマン体とイタリック体の交替ばかりでなく、この作品においては、ローマン体の文の内部にイタリック体の文、語句が埋め込まれることにより、クェンティンの意識が「現在」と「過去」とを、「過去」と「過去」の間を、はげしく往復運動している様が表現されている。その他、ローマン体の文中に埋め込まれるイタリック体の文そのものが不連続になり、いくつかの時間を共存させることも、しばしばある。この、ローマン体とイタリック体の交錯、混合の手法が極限までおし進められるのが、クェンティンとジェラルドの殴り合いの喧嘩が起きる寸前のことを記した次の引用である。

Ever do that have you ever done that In the gray darkness a little light her hands locked about "They do, when can get it," Spoade said. "Hey, Shreve?" *her knees her face looking at the sky the smell of honeysuckle upon her face and throat* "Beer, too," Shreve said. His hand touched my knee again. …… *he had been in the army had killed men* (p.990)

あれをしたことが　あなたはあれをしたことがあるの　灰色の夕暮れの中のわずかな光　彼女（＝キャディ）は膝をかかえ込んで「（ワインを）やりますよ、手に入るときにはね」スポードが言った。「どうだい、シュリーヴ？」**膝をかかえ込み　顔は空を見つめ　その顔や喉にスイカズラの匂いがただよって**「ビールもね」とシュリーヴが言った。彼の手が僕の膝にまたふれた。……**あの人（＝ドールトン・エイムズ）は軍隊にいたことがあるの　人を殺したことがあるの**

この引用文とそれに続く箇所においては、ローマン体とイタリック体のあまりにもはげしい交錯により（しかも、それぞれの文は中断されても、すぐ先の方で再び、それに続く文が記されるため）、過去と現在はもはや区別されず、クェンティンの意識の中で混じり合っていることが表現されている。そしてこの場面の直後で、クェンティンの内的時間意識は大きくシフトし、キャディとのやり取りを示す過去の場面が、かなり長い間にわたり挿入されている。

その他、ピリオドの省略、大文字と小文字の対照によっても、クェンティンの内的時間意識は言語化される。たとえば、ピリオドを打たないことによってクェンティンの意識が中断され、他の時間へ移行することが示され、また、ピリオドのあるふつうの文章が続いたあと、全くピリオドのない文章が続くことによっても時間の移行は示される。あるいは、大文字ではじまる普通の文章が続いたのち、文頭の大文字をすべて小文字にした文が続くことによっても時間の移行は表現される。

この章の終わり近くでは、八時四十五分の鐘が鳴り始めてから終わる迄のごく短い時間において、過去の記憶心像が一気にクェンティンの心の中へなだれこんでくるあり様が、ピリオド、コンマ、引用符、大文字をいっさい使わず、段落変えもしていない文章によって表現される（このくだりは、同一の言葉のくどいほどの繰り返し、人称の混乱、などにより、クェンティンの錯乱した意識が見事に言語化されている）。

以上、見てきたように、「クェンティンの章」において、フォークナーは、言語の視覚的効果を最大限に利用することにより、内的時間という不可視なものを可視的なものとしているのだ。

ガルシア＝マルケス『族長の秋』――時間のアクロバット飛行――

フォークナー文学全体を通じて見出される時間の自由自在な処理、それを、極限までおし進め、一つの魔術にまで高めた作品、それが、ガルシア＝マルケスの『族長の秋』である。

この途方もなく非現実的であり（百年以上も任期につく大統領などこの世に存在し得ない）、それでいて、あまりにも現実的である（血で血を洗うラテンアメリカの歴史的現実が各エピソードで生々しく示されている点で）、また、哄笑とユーモアに満ちた喜劇である反面、虚しさがただよう救いのない悲劇でもあるこの小説は、特定の歴史的時間軸に位置づけられることを拒絶する。それは、この小説の語り方に顕著にあらわれている。語り手は、この物語において起こった事件が年代的に一体いつ起こったことなのか、他の事件とどのくらいの時間的距離を有しているのか、ということについてあえて明確に記していない。語り手は、どのエピソードを記す際も、たとえば、「遠い昔のことだが」、「当時は」、「数年前のある夜」、「あるとき」、「まだ何年も先のことだったが」、「何ヶ月ものあいだ」、「それから長い年月をへて」などと、時間的な位置づけを明示しない語り方をする。このような時間的に曖昧な語りにより、この物語を現実の歴史的時間に対応させることは困難になり、この物語は、夢幻性と普遍性を獲得するのである。一つの神話と化すのだ。さて、この物語は次のような書き出しで始まる。

週末に禿鷹どもが大統領府のバルコニーに押しかけて、窓という窓の金網をくちばしで食いやぶり、内部に淀んでいた空気を翼でひっ掻き回したおかげで、全市民は月曜日の朝、図体の大きな死びとと朽ち果てた栄耀の腐臭を運ぶ、生暖かい、穏やかな風によって、何百年にもわたる惰眠から目覚めた。（鼓 直訳）

あまりにも唐突な謎めいた書き出しゆえに、この文章は読む者を少々とまどわせる。「図体の大きな死びと」とはどのような人物なのか。また、なぜ「週末」に「禿鷹」が大統領府のバルコニーに押しかけたのか。これらの問を発しつつ、この引用文の先を読み続ける者は、右に引用した文の意味することが徐々に語られてゆくのを見出すのであるが、読者を驚かすのは、その語られ方である。語り手は、週末から月曜の朝に起こったことを、起こった順に直線的に語ることはしない。まず、月曜日の朝に、市民が大統領府に押し入った時の様子が記され、そして、大統領の死体の描写が次に来たところで、物語の時間は逆行し、場面は数年前の大統領府の描写へと移る。かと思うと、時間は順行し、週末に禿鷹が大統領府に侵入するいきさつが語られ、さらに時間は順行し、ふたたび、市民が大統領府に押し入る場面が描かれる。このような時間の往復自在性、というよりも、時間の循環性・円環性は、作品全体にわたって見られる特徴である。この作品の物語の時間は、文単位、パラグラフ単位、章単位、そして作品全体という単位で、めまぐるしく循環している。

いま、大統領の死体に関係するエピソード（月曜から火曜にかけてと思われる）を「現在」とするなら、どの章（この物語は六つの部分に分かれており、それぞれの部分には章を示す数字はつけられていないが、分析の便宜上「章」と呼んでおく）も、「現在」の物語を数ページ語ったのち、時間は逆行し、その後、章の終わりまで、ほとんど「過去」の物語が語られるという構造を有している。そして、その「過去」の物語の中心的エピソード（たとえば第一章は、大統領の頓死、第二章は大統領のマヌエラ・サンチェスに対する求愛といったふう）は、章を追うごとに、時間的に「現在」へと近づいてゆく。また、時間を逆行させて語られる「過去」の物語自体が、さらに逆行したり順行したりするのだから、この作品の時間構造はさらに複雑になる。この物語においては、それぞれの章において、「現在」から発した時間の糸がふたたび「現在」にたぐり寄せられ「現在」に戻ってくるのと同様、「過去」のある一点から発した時間の糸は、ふたたび出発点である「過去」の一点へとたぐり寄せられてゆくのである。
このように、物語は数え切れないほどの円運動を繰り返しながら、進んでゆくのだが、物語の終点は、その出発点へとつながるようになっている。物語の最終シーンの、死の床につく大統領の姿は、作品の冒頭に描かれる大統領の姿と同じものである。ここで、物語の時間の円環は閉じることになる。

以下、参考までに、（A）この物語の主な出来事の時間的順序、（B）物語の時間構造のあらまし、を記しておく。

資料（A）

①大統領連邦戦争→②ムニョスの死→③戦後の大量殺戮→④大統領政権につく→⑤大統領頓死事件→⑥大統領のマヌエラ・サンチェスへの求愛とその後→⑦ハリケーンの到来→⑧クーデター→⑨腹心ロドリゴ・デ＝アギラルの死（暗殺、というより屠殺）→⑩大統領の母の死→⑪母の葬儀→⑫正妻となるナサレーノとの出

会い↓⑬ナサレーノとの生活↓⑭ナサレーノの暗殺↓⑮ホセ・イグナシオ・サエンス・デ・ラ・バッラの出現↓⑯老化した大統領と衰退する国家↓⑰大統領の死

資料（B）

（以下の時間構造を中心としたあらましでは、時間の順行は「―順↓」で、逆行は「―逆↓」で示すこととする。）

第一章「大統領の死体（現在）―逆↓頓死⑤―順↓頓死したのは大統領の影武者パトリシオ・アラゴネスであることが判明―逆↓大統領のアラゴネスとの出会い―順↓アラゴネスの死―順↓頓死事件⑤―順↓頓死後のさわぎ―順↓大統領が生きていると判明、その後の政情不安」

第二章「大統領の死体（現在）―逆↓大統領が政権についたころの母の様子④―順↓頓死事件のあとの母の様子⑤―逆↓頓死、政権掌握よりさらに前の連邦戦争のこと①―順↓戦後の血で血を洗う権力争い③―順↓大統領の政権掌握④―順↓頓死事件⑤の後、マヌエラ・サンチェスへの求愛⑥―順↓失恋」

第三章［大統領の死体（現在）―逆→老化した大統領⑯―逆→権力絶大なころの大統領とそのころあった水占いのエピソード―順→マヌエラ・サンチェスにたいする失恋後の大統領（ここで第二章の末尾につながる）―順→ハリケーン、その後の国の復興事業⑦―順→クーデター⑧―順→腹心ロドリゴ・デ＝アギラル将軍殺害⑨］

第四章［大統領の死体（現在）―逆→老化した大統領⑯―逆→ロドリゴ・デ＝アギラル殺害のすぐあと（ここで第三章の末尾につながる）、母の臨終のエピソード―逆→大統領の出生（いちばん古い過去）―順→母の死⑩―順→母の葬儀とその列聖にまつわる話⑪―順→ナサレーノとの出会い⑫―順→ナサレーノと性的関係を結ぶのに二年もかかったいきさつ―逆→大統領の童貞喪失のエピソード（おそらく①より前）―順→ナサレーノと性的関係を結ぶ］

第五章［大統領の死体（現在）―逆→老化した大統領⑯―逆→大統領になる前の祖国の姿（④より前）―順→大統領になったばかりのころの国の状態④―順→ふたたび第四章に続き、ナサレーノとの日々⑬―順→ナサレーノの暗殺⑭―順→

サエンス・デ・ラ・バッラの出現⑮―順→大統領になってから百年経過（①から百年）」

第六章［大統領の死体（現在）―逆→老化した大統領⑯―順→（現在）―逆→第五章に続く、国の政治―順→国の衰退⑯―順→最晩年の大統領（現在にきわめて近い）―逆→大統領の回想を通じて、彼の前任者ムニョス大統領の死②―順→彼が大統領になるまで③―順→政権掌握のころ④―順→死の直前の大統領―順→死の床につく大統領⑰」

カフカ『城』

フォークナーやマルケスが小説の時間を可能なかぎり重層化するのに対し、カフカは、それを可能なかぎり表層化する。カフカの『城』（一九二六）は、この時間の表層性を極限までおし進めた作品である。ヨーゼフ・K．の過去は、作中では全くと言っていいほど明らかにされていない。K．にとって未来は不確定である。また、K．は、「いま」の瞬間に起こっていることを受動的に受け入れることを余儀なくされている。

K．の生きる時間性である「いま」、これは、この作品の視点のあり方によっても読者に強く印象づけられる。この作品において、語り手の視点とK．の視点の距離は、かぎりなくゼロに近づいた状態にある。語り手は、作中で起こっている事件の外側に位置しているのではなく、K．の背後にぴったりとくっついて、K．と共に作中を彷徨する。K．の認識を語り手の認識が超えるということはない。このような語り手の全能性の否定がもっとも顕著にあらわれるのが、地の文において頻繁に用いられる断定を避けた表現である（'scheinen～zu～'「～のようにみえる」、'offenbar'「～らしい」、'wahrscheinlich'「たぶん～であろう」など、断定を避けた言い回しは、この作品全体を通じて見出される）。この断定を避けた表現によって、語り手が、認識の不透明性、不確実性をK．と共有していることがわかり、K．の知っていること以上のことを語り手は知らないということ、語り手がK．と同じ視点から物を見ていることが示されるのである。このように、語り手がK．の生きる「いま」の内に没入することにより、読者も同様にK．の生きる「いま」の内に没入することができるのである。

K．のおかれた状況設定、視点のあり方によって明示される、K．の生きる時間としての「いま」、それは非連続的である。そのことは、物語のすすめ方に歴然としている。作者は各挿話を断片的なままに提示するだけであり、それらにいかなる因果性も与えようとしない。一つ一つのシーンは、意味上のつながりをほとんど剥奪され、質的な違いもあまりみられない。同質で単調な場面が、非連続的に並置されるだけである。

この作品の時間の非連続性は、文体そのものによっても示されている。地の文を見ると、一つの文でもって、ある瞬間に起こった事柄、その瞬間において生じた感情のみが指示されていることが多い。また、一つの文の中で複数の時制が共存することはまれであり、現在は過去とも未来とも持続しない。文と文を結びつける際も、‘da’や‘weil’など因果性の強い言葉の使用は避けられ、因果性のうすい‘und’や‘dann’が多用される。たとえば、第一章の第二パラグラフは、‘Dann ging er’「それから彼は行った」で始まり、‘dann schlief er ein’「それから彼は眠り込んだ」で終わっている。フリッツという名の男が電話をしている場面は、‘Dann war es still, ……’「それから静かになった」で始まっているが、この文で始まるパラグラフにおいては‘Und’で始まる文が二つ続いている。

以上見てきたように、この小説の時間は、「いま」の非連続的生起であり、読者は、あたかも離人症患者の臨床記録を読んでいるような印象をいだく。

しかしながら、この非連続性は、われわれの読書行為においては、否定性としてあるのではなく、肯定性へと弁証法的に転じる。なぜなら、読者は、断片的なエピソードを自らの仕方で、さまざまな形で結びつけ、因果性を与え、意味を与えることによって、無数の「作品」を生み出すことができるからである。

『城』〔*Das Schloß*（このドイツ語は、「錠」という意味も有している）〕は、読者の「解釈」という「鍵」によって開けられることを待っているのだ。

あとがきにかえて——村上春樹と時間——

島村輝は、村上春樹の『ねじまき鳥クロニクル』（一九九四—九五）について、以下のように記している。

> 年代記を順に読み進める読者にとっては、歴史上のさまざまな出来事が、直線的に進む〈時〉の流れにしたがって系列化されているようにみえる。……
> 　こうしたクロニクルのスタイルは、一元的で強固な〈時〉の体系を背景としていなければならない。揺るぎないこの〈時〉の一元性こそ、さまざまな出来事を因果の関係に従って結びつける保証である。（中略）〈僕〉は……一元的な〈時〉の支配を受けることに甘んずる存在から、クロニクルを書き換える側・一元的な〈時〉の支配と抗争する側に立場をうつすことになる。（「〈時（クロノス）〉との抗争—『ねじまき鳥クロニクル』のコード」〈栗坪良樹・柘植光彦編『村上春樹スタディーズ

04』、若草書房、所収〉)

二十世紀の文学とは、時間論的な観点から一言で定義するなら、「時間との抗争」の文学である。そして、『ねじまき鳥クロニクル』は、「時間との抗争」の二十世紀文学史をしめくくる作品である。複数の「生きられる時間」が多元的・重層的に語られる時間構造自体に、それは示されていると同時に、複数の過去の呪縛、トラウマのテーマが、伏流のように深層に存在している作品である。時間がどのように〈主題化〉されているかという観点からも、時間がどのように〈美学上〉の問題として構造化されているかという観点からも、極めて重要な作品であり、その意味では、二十世紀文学の総決算であると言えよう。

本書は、こうした「時間との抗争」のドラマを―あるいは、「まえがき」で述べた「時間の発見」のドラマを―主として西欧文学を対象にして考察してきた。そして、「一元的な〈時〉の支配と抗争する側」に立つ作家たちのドラマの、特殊性・個別性と普遍性・一般性の両面を、詳細に検討してきたつもりである。

年代的な時間の流れに抗して、現在と過去の重ね合わせによる「永続性」の探究を行ったプルースト。過去の（呪縛の）多元的な様相を示した、ヴァージニア・ウルフやフォークナー。時間とのファウスト的抗争と、そこからの脱出をテーマ化したトマス・ウルフ。過去の呪縛のテーマを、クロスワードパズルのような物語構造によって示し、かつ、読者に、一元的な物語を書き換える「自由への道」を示したハクスリー。一元的で絶対的な時間に抗して、時間の相対性（伸縮自在性）を物語化したトーマス・マン。一元的な時間に抗して、自己に固有の時を〈死〉との関係性において主題化したリルケ。これらの作家・詩人が、本書の第一部の主役である。

本書の第二部では、作家たちが、いかに多様な、複数的な時間を創出し、〈時〉の一元性を脱し、「時間との抗争」のドラマを演じてきたかを、小説美学の面から検討してきた。そうすることで、二十世紀文学における「時間との抗争」のドラマが、二十世紀よりも以前に始まっており、二十世紀において特に顕在化してきたことについて、具体例をあげて論じてきた。時間の重層化を、物語のレベルにおいてばかりか、言語学的なレベルでも示したプルースト、時間の同時化を押しすすめたジョイス、時間の非均質化を強調したトーマス・マン、時間の往復自在化の手法をほとんどすべての作品において用いているフォークナーやガルシア＝マルケス、そして、時間の不連続化を方法の基盤に据えたハクスリーやカフカなどが、第二部の主要な作家である。

二十世紀末から二十一世紀にかけての文学においても、こうした「時間の発見」、「時間との抗争」のドラマは続いている。そのなかでも、とくに際立っているのが村上春樹である。

二十世紀の末に、村上春樹は、『世界の終りとハードボイルド・ワンダーランド』（一九八五）で、別々の物語を並行して「対位法的に」展開し、しだいに交錯させ結びつけてゆくという実験的手法を取り入れており、『ねじまき鳥クロニクル』では、「井戸」等を媒介にして、個人的過去の探究が、壮大なスケールの歴史的過去の探求へと転じてゆく物語を書いた。そして、二〇一七年に出版された『騎士団長殺し』では、物語的時間の構造と時間のテーマ（過去の探究）は、さらに複雑化し、深化している。この作品は、それまでの村上文学の特徴である、回想行為による物語的時間の重層化（過去の探求、過去に対する鎮魂、過去の呪縛からの救済）──『ノルウェイの森』における、「過去の深い森」へと分け入る旅、直子への「レクイエム」はその代表的な例であるーと、物語的時間の複線化・多元化ー右に述べたように、『世界の終りとハードボイルド・ワンダーランド』がその代表例ーが緊密に組み合わさった、まさに村上ワールドの集大成であると言うことができるであろう。

『騎士団長殺し』の物語の基本的構造は、現在の「私」（語り手＝主人公）が回想する、ある年の五月から翌年の初めにかけて（約九ヵ月間に）起きた出来事（その中心は、「騎士団長殺し」というタイトルの絵の発見）から成るが、その基本的な時間軸に至るまでの、「私」の妻との別れと放浪の物語、その後の、再会した妻と復縁して子供が誕生する物語が前後に加わる。さらには、基本的な水平的な時間軸の随所に、「私」（名は記されていない）の過去の物語（死んだ妹に関する悲劇、妻との出会いから別れ、友人の物語等）、ジェイ・ギャツビーのように巨大な邸宅に住み、失われた過去をとりもどそうとする免色という名の謎めいた人物の過去の物語、日本画壇の重鎮の雨田具彦という人物の過去の物語とその人物が残した「騎士団長殺し」という絵画に関する過去の（個人的・歴史的）物語が、垂直的に交差し侵入するという構造を有している。そして、物語的時間の過去への遡行が、「私」、免色、雨田具彦の過去の（トラウマ、呪縛の）テーマの探求と一体化し、最終的には、それぞれの人物が、現実的なレベルにおいてだけでなく、象徴的・幻想的レベルで、そうした過去の呪縛から解き放たれ、安らかに休息し、あるいは未来へ向かう時間の中に再び生きるという、「救済と恩寵」の物語となっている。筆者が思うに、この作品は、漱石の『こゝろ』、志賀直哉の『暗夜行路』、大江健三郎の『個人的な体験』の系譜に連なる、魂の探究の軌跡を描いた思想的・宗教的作品であり、「文学と時間」という観点から見て、最高の完成度と達成度を示している作品である。

「時間（〈時〉の二元性）との抗争」のドラマの中でも、とりわけ、二十世紀の末にますます顕著になってきたのが、時間の複線化・同時化・多元化の一手法である「パラレル・ワールド」の手法であるが、わが国で、この手法を最も顕著に示しているのが村上春樹である。複数の物語世界が並列的に進行してゆく（ときとして、主題的・象徴的なレベルで関連性を有し、互いに影響を及ぼしあう）という物語構造、それは、スティーヴ・エリクソン（一九五〇―　）。アメリカの小説家。パラレル・ワールドの手法を用いた代表作として、『黒い時計の旅』、『Xのアーチ』などがある）をはじめ、多くの作家に（文学者ばかりか、他の芸術ジャンルにおいても）みられる手法である。日本文学のなかでは、石川淳（とくに『狂風記』）や安部公房（とりわけ『密会』）などの先行者が、「パラレル・ワールド」の手法をいち早く取り入れているが、村上春樹はこの手法を自家薬籠中のものとし、「世界的同時性」のもとに創作活動を行っている。『世界の終りとハードボイルド・ワンダーランド』において、村上春樹がすでにこの手法を取り入れていることについては、先に述べた（また、宮脇俊文氏は、『村上春樹ワンダーランド』〈いそっぷ社、二〇〇六〉において、明確にそのことを指摘している）が、村上は、二十一世紀においても、この手法を基本的な枠組みにすえ、『海辺のカフカ』（二〇〇二）という「比重のある時間が、多義的な古い夢のようにのしかかってくる」（『海辺のカフカ』第四十九章）作品を生み出した。

そして、村上春樹の「パラレル・ワールド」の探求は、新たな領域を求めて、さらに続いてゆく。たとえば、『騎士団長殺し』では、『千夜一夜物語』のような幻想的世界で起きる〈騎士団長殺し〉が、現実の歴史から生まれた「騎士団長殺し」という絵画の物語と象徴的に重なり合う。また、ダンテの『神曲』をおもわせる冥界めぐりが、主人公である「私」の現実的過去からの脱出行と重なり合い、ルイス・キャロル的なファンタジーが、妹にたいする喪失感と罪悪感という現実的過去の呪縛からの救済のドラマとパラレルに進行し、象徴的に結びつく。そのような意味合いにおいて、『騎士団長殺し』も、『海辺のカフカ』とおなじく、「比重のある時間が、多義的な古い夢のように」読者にのしかかってくる作品である。あるいは、村上春樹がポール・オースター（一九四七―　。アメリカの小説家。代表作に「ニューヨーク三部作」〔『ガラスの街』『幽霊たち』『鍵のかかった部屋』〕がある）の作品を評したエッセイ（「バッハとオースターの効用」）のなかの言葉を用いるなら、「対位法的胎内めぐり」と言うことができるであろう。

＊

本書の編集、出版については、幻冬舎ルネッサンス新社編集部の金宮勇夫氏、渡邊真澄氏、竹内友恵氏、畠山紋寧氏、出版プロデュース部の下平駿也氏にいろいろとご迷惑をおかけし、さまざまな点で貴重なアドバイスをいただいた。ここに、衷心より感謝の意を表したい。

そして、何よりも筆者の家族に心から感謝したい。本書を執筆する際、つねに心の支えとなり、あたたかく見守ってくれた筆者の家族に、本書をささげたいと思う。

二〇一九年　九月

岡本　正明

初出一覧

岡本正明　「二十世紀文学と時間」（『メトロポリタン』第三十号、東京都立大学英文学会発行、一九八六年）
「続・二十世紀文学と時間」（『メトロポリタン』第三十一号、東京都立大学英文学会発行、一九八七年）

＊なお、本書は、右の二論文から成る拙著『二十世紀文学と時間』（近代文藝社、初版は二〇〇七年）の第二刷（二〇〇九年）をもとにして書かれたものである。その際、筆者の以下の書を参考にした。
・『英米文学つれづれ草―もしくは、「あらかると」』（朝日出版社、二〇一八年）
・『アルタモント、天使の詩―トマス・ウルフを知るための一〇章』（英宝社、二〇一九年）

時間参考文献

（文学と時間の関係を扱った主な論文、著書）

（A）外国人によって書かれたもの

1. Allen, Thomas M. ed. *Time and Literature*. Cambridge University Press, 2018.

2. Bachelard, Gaston. "Instant poétique et instant métaphysique", in *Messages* vol.2, 1939.［掛下栄一郎訳「詩的瞬間と形而上学的瞬間」（『瞬間の直観』所収、紀伊國屋書店）］

3. Bakhtin, Mikhail. "Formy vremeni I xronotopa v romane", 1937-1938.［"Forms of time and the chronotope in the novel" in *The Dialogic Imagination*, ed. Michael Holquist, trans. Caryl Emerson and Michael Holquist（Austin: University of Texas Press, 1981）. 北岡誠司訳「小説における時間と時空間の諸形式」（ミハイル・バフチン全著作第五巻所収、水声社）］（バフチンは、他に、「作

者と主人公」〔一九二〇年代に書かれたと推定される〕、「叙事詩と小説」〔一九四二〕においても文学における時間の問題を扱っている。これらは共に新時代社、および水声社から邦訳が出ている。）

4. Bender, Niklas/Spinger, Gisle ed. *Biological Time, Historical Time and Transformations in 19th Literature*. Brill Rodopi, 2018.

5. Bronzwar, W. J. M. *Tense in the Novel: An Investigation of Some Potentialities of Linguistic Criticism*. Groningen: Wolters-Noordhoff, 1970.

6. Buckley, J. H. *The Triumph of Time: A Study of the Victorian Concepts of Time, History, Progress, and Decadance*. Harvard University Press, 1966.

7. Church, Margaret. *Time and Reality: Studies in Contemporary Fiction*. Chapel Hill: The University of North Carolina Press, 1949.

8. Douglass, Paul. *Bergson, Eliot, and American Literature*. University Press of Kentucky, 2014.

9. English, Daylanne K. *Each Hour Redeem: Time and Justice in African*

American Literature. The University of Minnesota Press, 2013.

10. Ferguson, Trish ed. *Literature and Modern Time: Technological Modernity; Glimpses of Eternity; Experiments with Time*. Palgrave Macmillan, 2019.

11. Friedman, Melvin J. *Stream of Consciousness: A Study in Literary Method*. New Haven: Yale University Press, 1955.

12. Fuchs, Anne ed. *Time in German Literature and Culture, 1900-2015: Between Acceleration and Slowness*. Palgrave Macmillan, 2015.

13. Genette, Gérard. "Discours du récit, essai de méthode" in *Figures* Ⅲ, Seuil, 1972. ［花輪光、和泉涼一訳『物語のディスクール―方法論の試み―』（書肆　風の薔薇）］

14. Humphrey, Robert. *Stream of Consciousness in the Modern Novel*. Los Angeles: University of California Press, 1954.（石田幸太郎訳『現代小説と意識の流れ』英宝社）

15. Johns, J. Adam. *The Assault on Progress: Technology and Time in American*

Literature. Tuscaloosa: The University of Alabama Press, 2008.

16. Katherine, Fusco. *Silent Film and U. S. Naturalist Literature: Time, Narrative, and Modernity*. Routledge, 2016.

17. Kermode, Frank. *The Sense of an Ending: Studies in the Theory of Fiction*. New York: Oxford University Press, 1967.

18. Kort, Wesley A. *Modern Fiction and Human Time: A Study in Narrative and Belief*. Tampa: University of South Florida Press, 1985.（この書の中では、ヘミングウェイ、D・H・ロレンス、トーマス・マン、フォークナー、ヴァージニア・ウルフ、ヘルマン・ヘッセにおける「時間」の問題が論じられている。また、巻末の参考文献では、拙著で言及されている時間論的文学論以外に、以下の時間論的文学論が記されている。　David Leon Higdon, *Time and English Fiction*〔The Macmillan Press, 1977.〕）

19. Kristeva, Julia. "Le temps du roman", in *Le texte du roman*. Paris: Mouton, 1970.（谷口勇訳『テクストとしての小説』国文社）

20. Kristeva, Julia. *Le temps sensible: Proust et l'experience litteraire*. Paris: Gallimard, 1994.（中野知律訳『プルースト─感じられる時』筑摩書房）
21. Kumar, Shiv K. *Bergson and the Stream of Consciousness Novel*. London: Blackie, 1962.
22. Lindsay, Jack. "Time in Modern Literature: Proust and Joyce", in *Decay and Renewal: Critical Essays on Twentieth Century Writing*. London: Wild &Woolley, Sydney Lawrence & Wishart, 1976.
23. Lukács, Georg. *Die Theorie des Romans*. 1920.（大久保健治訳「小説の理論」〔ルカーチ著作集2『小説の理論』所収〕、白水社）
24. Macey, Samuel L. *Clocks and the Cosmos: Time in Western Life and Thought*. Hamden, Connecticut: Archon Books, 1980.（このPartⅢ～Ⅳが時計と文学の関係について論じている。）
25. Magny, Claude-Edmonde. *L'âge du roman americain*. Paris: Editions du Seuil, 1948.（三輪秀彦訳『アメリカ小説時代─小説と映画』、フィルムアート社）（特に、

この書の第二部では、ヘミングウェイ、フォークナー、ドス・パソス、スタインベックの作品が、「時間」の観点から論じられている。）

26. Medina, Angel. *Reflection, Time and the Novel: Toward a Communicative Theory of Literature*. Boston: Routledge & K. Paul, 1979.

27. Mendilow, A. A. *Time and the Novel*. London: Peter Nevill, 1952; rpt. New York: Humanities Press, 1972.（志賀謙、中林瑞松、西尾巌訳『小説と時間』、早稲田大学出版部）

28. Meyerhoff, Hans. *Time in Literature*. Berkeley and Los Angeles: University of California Press, 1955.（志賀謙、行吉邦輔訳『現代文学と時間』、研究社）

29. Muir, Edwin. *The Structure of the Novel*. The Hogarth Press, 1928.（佐伯彰一訳『小説の構造』、ダヴィッド社）

30. Müller, Günther. *Die Bedeutung der Zeit in der Erzählkunst*. Bonn, 1947.

31. O'Malley, Michael. *Keeping Watch: A History of American Time*. Viking, 1990.（高島平吾訳『時計と人間—アメリカの時間の歴史』、晶文社）

32. Patrides, C. A/Wittreich, J. A. ed. *The Apocalypse in English Renaissance Thought and Literature*. Manchester University Press, 1984.

33. Paul, David. "Time and the Novelist", *Partisan Review*, XXI (November-December, 1954), pp.636-649.

34. Pike, Burton. "Time in Autobiography". *Comparative Literature*, No.4 (1976) pp.326-342.

35. Pouillon, Jean. *Temps et roman*. Paris: Gallimard, 1946.（小島輝正訳『現象学的文学論——時間と小説』、ぺりかん社）

36. Poulet, Georges. *Études sur le temps humain*. Plon, 1950-1968.（井上究一郎他訳『人間的時間の研究』、筑摩書房）

37. Pratt, Lloyd. *Archives of American Time: Literature and Modernity in the Nineteenth Century*. Philadelphia: The University of Pennsylvania Press, 2010.

38. Ricoeur, Paul. "Narrative Time", *Critical Inquiry7*, 1980. [原田大介訳「物語の時間」（W・J・T・ミッチェル編『物語について』所収）平凡社]

39. Ricoeur, Paul. *Temps et récit, vol.2*, Editions du Seuil 1984.（*Time and Narrative. vol.2*, trans. by Kathleen McLaughlin and David Pellauer. Chicago: University of Chicago Press, 1985.）〔リクールは『時間と物語』第二巻で、プルーストの『失われた時を求めて』、トーマス・マンの『魔の山』、ヴァージニア・ウルフの『ダロウェイ夫人』を分析している。〕（久米博訳『時間と物語』Ⅱ、新曜社）

40. Staiger, Emil. *Die Zeit als Einbildungskraft des Dichters*. Zurich, 1939.

41. Tymieniecka, Anna-Teresa ed. *Temporality in Life as Seen through Literature*. Springer, 2007.

42. Tobin, Patricia Drechel. *Time and the Novel: The Geneological Imperative*. Guildford, Surrey: Princeton University Press, 1978.（この書では、トーマス・マン『ブッデンブローク家の人々』、D・H・ロレンス『虹』、フォークナー『アブサロム、アブサロム！』、ナボコフ『アーダ』、ガルシア＝マルケス『百年の孤独』における「時間」の問題が論じられている。また、この書の巻末の「注」では、「時間」の問題を議論の中心にすえた小説理論書として―拙著で言及されているもの以外では―以下のような書物が挙げられている。E. K. Brown, *Rhythm in the Novel* [University of Toronto Press, 1950], Harold Toliver, *Animate Illusions: Explorations of Narrative Structure* [University of Nebraska Press, 1974]）

43. Vesterman, William. *Dramatizing Time in Twentieth Century Fiction*. Routledge, 2014.

44. Weinrich, Harald. *Tempus*. Stuttgart, Berlin, Koln, Mainz: W. Kohlhammer, 1964.（脇坂豊他訳『時制論』、紀伊國屋書店）

45. Weinstein, Cindy ed. *A Question of Time: American Literature from Colonial Encounter to Contemporary Ficion*. Cambridge Univ. Press, 2018.（アメリカ文学と「時間」について考察した巨視的文学論）

46. Weinstein, Cindy. *Time, Tense, and American Literature: When Is Now?* Cambridge University Press, 2015.

47. Zemka, Sue. *Time and Moment in Victorian Literature and Society*. Cambridge Univ. Press, 2014.

（B）日本人によって書かれたもの

1. 青木幸美『〈時間〉の痕跡―プルースト「失われた時を求めて」全7篇をたどる』〈上〉〈下〉、社会評論社、二〇一六年
2. 安部公房「文学と時間」『近代文学』四（一〇）、近代文学社、一九四九年
3. 石井康一「小説における時間―ヴァージニア・ウルフ、芥川竜之介、オルダス・ハクスレイ、グレアム・グリーンの時間意識」『福岡大学研究所報（通号三八）、一九七八年
4. 磯谷孝「物語におけるヴィジョンと記憶」（『語り―文化のナラトロジー』所収）、日本記号学会、一九八六年
5. 岩元巌、山形和美、岡本靖正編『小説の時間』、朝日出版社、一九七五年
6. 大橋健三郎「小説と時間」（東京大学公開講座『時間』所収）、東京大学出版会、

一九八〇年
7. 折島正司『機械の停止―アメリカ自然主義小説の運動／時間／知覚』松柏社、二〇〇〇年
8. 川端柳太郎「現代小説と時間」『英語青年』一二五（五）号、一九七九年
9. 川端柳太郎『小説と時間』、朝日新聞社、一九七八年
10. 川西進、藤井治彦、中村健二、土岐恒二『時と永遠――近代英詩におけるその思想と形象』英宝社、一九八七年
11. 北村ひろこ「現代小説における『歴史的時間』の克服―承前」『帝塚山学院大学研究論集』（通号二二）、一九八七年
12. 九鬼周造「文学の形而上学」（一九四〇年）（『九鬼周造全集』第四巻、岩波書店、一九八一年）、「文学概論」（一九三三年度）（『九鬼周造全集』第十一巻、岩波書店、一九八〇年）
13. 粂川光樹『上代日本の文学と時間』、笠間書院、二〇〇七年
14. 小池滋司会『現代小説の可能性』（学生社、［シンポジウム］英米文学⑦）、その

第二章「小説における時間と空間」、一九七五年　また、本シンポジウムの司会者である小池滋は、東京女子大学において、始業講演「文学と時間」を行っている（「文学と時間」、『東京女子大学紀要・論集』第四四巻（一号）、一九九三年）。
15. 小林文生「文学と時間をめぐる予備的考察」『ヨーロッパ研究』（三）、東北大学大学院国際文化研究科、二〇〇〇年
16. 佐々木基一「文学における時間と空間の問題」『国文学：解釈と鑑賞』一七（一一）、至文堂編、ぎょうせい、一九五二年
17. 佐藤泰正編『文学における時間』、笠間書院、一九七九年
18. 篠三知雄「児童文学と時間」ノート『金沢大学教養部論集　人文科学編』（通号一九）、一九八一年
19. 篠三知雄「児童文学と時間」ノート（つづき）『金沢大学教養部論集　人文科学編』（通号二〇）、一九八二年
20. 島利雄「現代フランス小説における時間相」『言語文化論集』（通号一二）、一九八二年

21. 清水徹＋蓮實重彦「文学の時間」『エピステーメー』（一九七五年、一二月号）、朝日出版社

22. 清水徹「ふたつの時間のはざまで――新しい世紀末に」（叢書文化の現在7『時間を探検する』所収）、岩波書店、一九八一年

23. 菅原克也『小説のしくみ―近代文学の「語り」と物語分析』東京大学出版会、二〇一七年（この書の第五章は「小説の中の時間」をテーマとしている。）

24. 高橋康也「終りなき終り――文学的終末論ノート」（『ウロボロス―文学的想像力の系譜』所収）、晶文社、一九八〇年

25. 武井勇四郎『時の美学―「魔の山」の構成時間とその受容』法政大学出版局、一九九四年

26. 立木鷹志『時間の本』国書刊行会、二〇一三年（第五章は「文学における時間」について論じている。）

27. 塚本昌則『フランス文学における時間意識の変化』（文部科学省科学研究費補助金研究成果報告書）、二〇〇四―二〇〇六年

28. 寺田透『理知と情念─作家論集（上）晶文社、一九六一年（この書の「小説と時間」という章において、永井荷風、谷崎潤一郎、志賀直哉の「時間」の問題がとりあげられている。）
29. 冨山太佳夫「過去の感覚──発掘、地質学、歴史小説─（上）、（下）」、（『思想』二月号、四月号）岩波書店、一九八六年（「発掘、地質学、歴史小説─世紀末文化の記号論」（『ダーウィンの世紀末』青土社、一九九五年所収））
30. 外山滋比古「時間の意識」（『近代読者論』、みすず書房、一九六九年〔初版、垂水書房、一九六四年〕）
31. 永藤靖『古代日本文学と時間意識』、未来社、一九七九年
32. 永藤靖『中世日本文学と時間意識』、未来社、一九八四年
33. 中村真一郎「現代小説と時間」、「現代文学の特質」（共に、『中村真一郎評論全集』河出書房新社、一九七二年所収）
34. 中村真一郎「時間」（『現代文学入門』、東京大学出版会、一九五一年）
35. 中村真一郎『小説の方法──私と二十世紀小説』集英社、一九八一年

36. 富士川義之「文学と記憶」『言語生活』筑摩書房、一九八六年、三月号
37. 福永武彦『二十世紀小説論』岩波書店、一九八四年
38. 森朝男『古代文学と時間』、新典社、一九八九年
39. 山形和美「作品における時間と変容」(『現代文学の軌跡――想像力と変容』中教出版、一九八〇年所収)
40. 山口大学時間学研究所監修『時間学の構築〈Ⅱ〉物語と時間』恒星社厚生閣、二〇一七年
41. 総合特集「文学の時間」『ユリイカ』一九七三年、八月号

著者紹介

岡本正明（おかもと まさあき）

中央大学教授。1960年東京都に生まれる。1983年東京大学文学部英文科卒業。東京都立大学助手等を経て、1999年より現職。主な著書に、『アメリカ史の散歩道』（中央大学出版部）、『小説より面白いアメリカ史』（中央大学出版部）、『横断する知性―アメリカ最大の思想家・歴史家　ヘンリー・アダムズ【新装版】』（英宝社）、『アルタモント、天使の詩―トマス・ウルフを知るための10章』（英宝社）、『英米文学つれづれ草―もしくは、「あらかると」』（朝日出版社）、訳書に、エドマンド・ウィルソン『フィンランド駅へ―革命の世紀の群像』（みすず書房）などがある。

幻冬舎ルネッサンス新書　197

プルーストから村上春樹（むらかみはるき）へ
「時間（じかん）」で読（よ）み解（と）く世界文学（せかいぶんがく）

2020年1月30日　第1刷発行

著　者　　岡本正明
発行人　　久保田貴幸

発行元　　株式会社 幻冬舎メディアコンサルティング
〒151-0051　東京都渋谷区千駄ヶ谷4-9-7
電話　03-5411-6440（編集）

発売元　　株式会社 幻冬舎
〒151-0051　東京都渋谷区千駄ヶ谷4-9-7
電話　03-5411-6222（営業）

ブックデザイン　田島照久
印刷・製本　中央精版印刷株式会社

検印廃止

ISBN 978-4-344-92713-1 C0295
幻冬舎メディアコンサルティングＨＰ
http://www.gentosha-mc.com/